天京小史

大家小书

唐诗纵横谈

周勋初 著

北京出版集团公司
北京出版社

图书在版编目（CIP）数据

唐诗纵横谈 / 周勋初著 . — 北京 ：北京出版社，2016. 7
（大家小书）
ISBN 978-7-200-12091-2

Ⅰ. ①唐… Ⅱ. ①周… Ⅲ. ①唐诗—诗歌研究 Ⅳ. ①I207. 22

中国版本图书馆CIP数据核字（2016）第077071号

总策划：安　东　高立志　　责任编辑：严　艳

· 大家小书 ·

唐诗纵横谈
TANGSHI ZONGHENGTAN
周勋初　著
*
北京出版集团公司
北京出版社　出版
（北京北三环中路6号　邮政编码：100120）
网　址：www.bph.com.cn
北京出版集团公司总发行
新华书店经销
北京华联印刷有限公司印刷
*
880毫米×1230毫米　32开本　9印张　148千字
2016年7月第1版　2023年6月第5次印刷
ISBN 978-7-200-12091-2
定价：36.00元
质量监督电话：010-58572393

序　言

袁行霈

“大家小书”，是一个很俏皮的名称。此所谓“大家”，包括两方面的含义：一、书的作者是大家；二、书是写给大家看的，是大家的读物。所谓“小书”者，只是就其篇幅而言，篇幅显得小一些罢了。若论学术性则不但不轻，有些倒是相当重。其实，篇幅大小也是相对的，一部书十万字，在今天的印刷条件下，似乎算小书，若在老子、孔子的时代，又何尝就小呢？

编辑这套丛书，有一个用意就是节省读者的时间，让读者在较短的时间内获得较多的知识。在信息爆炸的时代，人们要学的东西太多了。补习，遂成为经常的需要。如果不善于补习，东抓一把，西抓一把，今天补这，明天补那，效果未必很好。如果把读书当成吃补药，还会失去读书时应有的那份从容和快乐。这套丛书每本的篇幅都小，读者即使细细地阅读慢慢地体味，也花不了多少时间，可以充分享受读书的乐趣。如果把它们当成补药来吃也行，剂量小，吃起来方便，消化起来也容易。

我们还有一个用意，就是想做一点文化积累的工作。把那些经过时间考验的、读者认同的著作，搜集到一起印刷出版，使之不至于泯没。有些书曾经畅销一时，但现在已经不容易得到；有些书当时或许没有引起很多人注意，但时间证明它们价值不菲。这两类书都需要挖掘出来，让它们重现光芒。科技类的图书偏重实用，一过时就不会有太多读者了，除了研究科技史的人还要用到之外。人文科学则不然，有许多书是常读常新的。然而，这套丛书也不都是旧书的重版，我们也想请一些著名的学者新写一些学术性和普及性兼备的小书，以满足读者日益增长的需求。

“大家小书”的开本不大，读者可以揣进衣兜里，随时随地掏出来读上几页。在路边等人的时候，在排队买戏票的时候，在车上、在公园里，都可以读。这样的读者多了，会为社会增添一些文化的色彩和学习的气氛，岂不是一件好事吗？

“大家小书”出版在即，出版社同志命我撰序说明原委。既然这套丛书标示书之小，序言当然也应以短小为宜。该说的都说了，就此搁笔吧。

周勋初先生唐诗研究的特色

徐　涛

周勋初先生，南京大学人文社会科学荣誉资深教授、江苏省文史研究馆馆长、中国唐代学会顾问、中国古代文学理论学会顾问、全国高等院校古籍整理研究工作委员会副主任、全国古籍整理出版规划领导小组成员。

周先生的治学范围十分广博，时间上纵跨先秦至近现代，研究领域则包括楚辞学、诸子学、目录学、文学史、文学批评史、学术史等分支。2000年，江苏古籍出版社出版了7卷本包含16种著作的《周勋初文集》，此后周先生的《李白研究》（选编）、《师门问学录》（余历雄记录）、《李白评传》、《馀波集》、《韩非子校注》（参与编写、修订）等著作也先后问世。在文献整理以及工具书编撰方面，周先生也成绩斐然，重要的有《唐语林校证》、《唐诗大辞典》（主编）、《唐人轶事汇编》（主编）、《宋人轶事汇编》（主编）、《唐钞文选集注汇存》（纂辑）、《册府元龟校订本》（主编）、《全唐五代诗》（第一主编）等。

凡所涉及的领域，周先生皆有出色论著，读者想要全面了解他的学术特点与成就，可以参看《周勋初文集》等书。不过，随着现代学术分工的日趋细密，像周先生这种“贯通历代，弥纶群言”（莫砺锋先生语）的学者，很有必要将他的研究成果依据不同领域进行分类，再聚焦某一领域予以特别观照。“大家小书”这次推出的《唐诗纵横谈》，就集中选取了周勋初先生研究唐诗的几篇很有分量的文章，可以从一定程度上反映他在唐代文学研究方面的成就与贡献，以及他自成一家的治学特色。

周先生的学术研究，扎实而空灵，博通而专精，充分体现了“传统”与“创新”的统一。所谓“传统”，是指他在“辨章学术，考镜源流”的文献学功夫上造诣极深，比如周先生的研究精力并不仅放在魏晋南北朝文学上，但能写出《魏氏“三世立贱”的分析》《梁代文论三派述要》这样精到的文章，主要得力于对本时段文献的通盘掌握，故每每能抓住问题的本质或关键。周先生的唐诗研究同样体现了这一特点，而唐代典籍又是他致力尤勤的一块领域，故此，《唐诗纵横谈》将长达5万字的《唐诗文献综述》作为书的“横”部，这是周先生治学思想的一种反映。

这篇文章原本是1990年出版的《唐诗大辞典》的附录，由主编周先生亲自撰写，他将浩如烟海的唐诗文献分成文集、史传、小说、谱牒、碑志、壁记、登科记、书目、诗话、艺术、地志、政典、释道书等13类，不但论述了每类文献的性质、产生背景、流传情况，而且介绍了此类文献重要典籍的内容和使用价值。如其中的“史传”部分，列举了新旧《唐书》、新旧《五代史》、《资治通鉴》等“正史”，还介绍了《南唐书》《蜀梼杌》《吴越备史》《南汉纪》《五国故事》《江表志》等“别史”“杂史”，并对专门记载唐五代诗人生平事迹的《唐才子传》做了说明，由此将唐诗研究可能用到的史传文献搜罗完备，研究者可以根据需要按图索骥。不过需特别指出的是，《唐诗文献综述》的重要价值并不仅在供人翻检和查找文献，它还对各种文献的优势与不足进行了提纲挈领的阐述，这就更加具有学术意义和指导作用了。同样以“史传”部分中的“正史”为例，《综述》指出：正史文献的长处在于它们是在皇朝一套正规完整的史料征集制度下完成的，故此可信度较高；但这并不意味着正史就没有错误，比如对一些声名不显的诗人而言，史官对他们的记载往往采自小说，其中可能夹杂着很多传闻失实的东西，需要研究者仔细别择。

这就涉及另一问题，即：如何对待唐代的小说文献？《综述》中的“小说”部分，对这一问题做了回答。作者充分肯定了小说对唐诗研究有极大价值：小说内容丰富，可以补正史之阙；在探测时代风气、考辨诗人事迹、征辑诗篇遗轶等方面，具有不可忽视的巨大作用；甚至有许多问题，不依靠小说材料就难以发现和解决。当然，《综述》也提到了小说可能有诬妄之弊，引用时需详辨慎取，还要与正史并读。将小说与正史视为唐诗研究的重要史料同等对待、互为补充，是周先生运用和处理唐诗文献的基本原则。这一观念的形成，是对中国古代重正史、轻小说的学术传统的突破，也是对傅斯年、陈寅恪等前辈优秀学者治史思想的继承和发扬；尤其是受陈寅恪“通性之真实”论点的启发，周先生进一步指出：“笔记小说中的某些记载，虽然不合事实，但反映了当代的社会风气，从中可见当时人的社会观念和真实心态，内涵甚为深广，具有很高的认识价值。”这种通达的学术眼光，对唐诗研究具有重要的方法论意义。

周先生的唐诗研究中有不少得力于运用小说材料而取得瞩目成果的例子，而实际上，他对《唐诗文献综述》中各类文献的运用，都能做到得心应手，胸有成竹，故此周先生的学术研究给人以文献扎实的朴学特质，但这并非清代乾嘉学派那种考据训诂的“朴学”，而是融合了现代学术精神的“新朴学”，用周先生自己的话说，就是“在文献学基础上的综合研究”。正因如此，周先生的唐诗研究能立足文献却又超越文献，具备了更加精严深邃的思辨性和推陈出新的创新精神。

这种学术特点在《唐诗纵横谈》“纵”部的几篇文章中发挥得淋漓尽致。如《杜甫身后的求全之毁和不虞之誉》一文，周先生并不迷信正史上所谓的“盖棺定论”，而是力图还原历史人物在历史境遇中的真实面目，通过对史传、墓志等各种文献资料的综合运用，文章指出：杜甫干谒的鲜于仲通、韦济、张垍、哥舒翰等在当时都并无大恶，有的还颇有佳声，有人谴责杜甫结交权贵于道德有亏，完全是一种求全之毁，并不符合历史实际。周先生考察历史人物及事件等，比一般人更加细密全面，这体现了他对文献通盘掌握和综合运用的“朴学”功夫；但是周先生在掌握材料的基础上还能进一步有所发明，以更加宏通开阔的视野看待问题，以更加深入合理的态度分析问题，从而打破旧说、推出新见，这就突破了一般“朴学”所达到的质实层次，进入到更高明的“思辨”境界了。

这种精严深邃的“思辨性”，使周先生的唐诗研究每每能抉幽探微，发掘出纷繁复杂的文学现象的内在本质，《韩愈的〈永贞行〉以及他同刘禹锡的交谊始末》就是这方面的典范之作。文章以韩愈《永贞行》一诗为焦点，而实际探讨的是韩愈对“永贞革新”的态度以及与友人刘禹锡的交谊问题。对此学界已有不少研究，但周先生切入的角度却与诸家皆有不同，他独辟蹊径地先从韩愈的家世出发，从韩愈长兄韩会与元载一党颠踬的惨痛教训中去探析韩愈与王叔文等划清界限的思想“情结”。这种分析使人意想不到，可细细寻思，却深自契合诗人内心深处不易为外人道的真实情感，给人极大的新鲜感与冲击力。文章又分析了韩愈与刘禹锡的复杂关系。韩愈认为自己遭贬或与刘禹锡等人泄露“语言”有关，这就造成了韩、刘之间的隔阂，而他本人重名好胜、矫激尖刻的性格缺陷更对其友谊造成了裂痕。刘禹锡对韩愈的态度，周先生没有从《祭韩吏部文》这等“官样文章”着眼，而是从《刘公嘉话录》等笔记小说中去探究诗人的真实心态，其实刘禹锡、柳宗元对韩愈皆有微词，个中缘由正与韩愈有违忠恕之道的性格缺陷有关。前面提到周先生善于利用小说中的材料发现和解决问题，这里正是一例。这篇文章的结论乍看上去颇为惊险新奇，但由于周先生始终以材料事实说话，以刻抉入微的分析进行演绎，故最终给人以合情合理，甚至更加精深严密的直抵本质之感。

周先生治学讲求“创新”“不为空言”，要真正做到这一点，有时不仅靠文献上的穷尽材料、竭泽而渔，还要靠对时代氛围、文学风气、学术思潮、文化背景的整体把握，这是周先生强调“在文献学基础上的综合研究”的根本原因。而他的李白研究，就试图突破传统研究思路的局限，代之以更加宏通开阔的文化格局：“李白研究，是唐代文学研究中的高难度题目，主要是因为研究积累太丰富。如果要谈心得，那就不能从概念出发，或者从前人的研究模式出发”，“考证在面对较为特殊的对象时，有不少局限性。如研究李白，要对其生平考证得十分精确，就很困难，因为他结交的人中大都为中下层的无名人物，漂流各地，文献记载很杂乱，自己的诗文中也少明确的时地记录，考证起来，就有难度。这就得考虑开辟新的研究路径。这条路径就是从文化的角度研究李白”。

本书收录了《李白奇特的文化背景》一文，这其实是周先生《诗仙李白之谜》十篇论文的精简提炼（详细情况请见本书文章中的说明），与之相关的文章还有《李白与羌族文化》《李白的晋代情结》等，读者想要全面索解李白之“谜”，可以将这些论著一并拿来参看。这些文章基本都是从有关李白的常见材料出发，但通过作者的旁征博引、阐幽抉隐，最终将其“解密”，发掘出其中隐藏的不寻常的“文化秘密”，从而廓清笼罩在李白身上的种种“谜团”乌云。如：李白及其家人姓名中寓含的西方因素，李白剔骨葬友反映出的蛮族习俗，他放浪任侠、剧饮狂歌的独特气质与蜀文化及胡文化的关系，他的游踪与诗歌和羌文化有何关系，他的婚姻观念为何与中原士人不同，他对唐王朝与边疆民族的战事为何能持客观态度，他在诸王分镇问题上导致失败的思想根源，他迥异常人特立独行的异端思想，等等。这些研究发前人所未发，甫一问世就引起了学界的极大关注，罗宗强先生评其："把李白研究的视野大大地拓宽了，展现了李白研究的一个更为宽阔的领域。"

周先生从文化角度研究李白的方法与思路，为千百年来的李白研究开辟了一条新的途径；有的学者已开始追摹效法，但由于这种研究方法对学者本人的功力、眼光等学术条件要求很高，故能循着这条研究道路真正做出成绩的，似乎还并不多见。可见真正求实创新、言之有物的治学境界，往往是专精与博通的融合。有人说周先生的研究以考证精严见长，这一评价固然不错；但值得注意的是，周先生的研究始终存在着一种大判断，呈现出一种大格局，这就与纯粹考证型的学者绝不相同；他的李白研究之所以能突破樊篱、自成一家，固然与精深厚实的功力有关，但广博开阔的宏大视野，更是起到了画龙点睛的重要作用。

这一特点也贯穿在周先生的其他研究中。如本书所选的《从“唐人七律第一”之争看文学观念的演变》一文，由前人对唐代最好七律的论争，从而牵扯出唐、宋、明、清四个时代的不同的文学观念，这样就由一个比较细小的文学现象出发，为我们考察唐宋以来文学观念演变这一大问题提供了独特视角。《“芳林十哲”考》也是从考证晚唐科场流行的一个称号出发，而实际反映了当时的科场风气、士子处境、士子与朝政关系等问题，由此考见晚唐社会之风貌。至于《元和文坛的新风貌》一文，则本身就是对中唐元和文坛的整体观照，当时的文坛极为错综复杂，要理清各种文学现象与文学观念、文人关系与文人群体，以及它们之间的相互关系，更非具抽丝剥茧的细致眼光与纵横开阔的宏大眼界不可。总的说来，周先生的文章从细处看，是精严深邃，密不透风；但若从整体着眼，却又格局阔大，气魄雄沉。之所以形成这一特点，与周先生遵循“在文献学基础上的综合研究”的治学思路有关，这是“专精”与“博通”的融合，也是“考证”与“思辨”的融合。

周先生的唐诗研究还始终贯穿着一种“文学史”的宏通视野，这也反映在了《唐诗纵横谈》“纵”部几篇文章的选择上，如《李白奇特的文化背景》《杜甫身后的求全之毁和不虞之誉》是对盛唐伟大诗人李、杜的研究，《元和文坛的新风貌》《韩愈的〈永贞行〉以及他同刘禹锡的交谊始末》是对中唐文坛的关注，《“芳林十哲”考》是对晚唐诗坛的考察，《“唐十二家诗”版本源流考》和《从“唐人七律第一”之争看文学观念的演变》二文则分别从目录学与诗歌史的不同角度考察了唐诗对后代诗歌的影响。这些文章由小见大，大致勾勒出了唐诗发展脉络中的重要环节。

作为后学，应邀写作这篇导读，只能是抛砖引玉，想必各位读者在阅读本书时一定会有更高明的想法或体悟。最后再说一句的是，周先生的文章重实证，学术性强，但他的文风却并不似一般研究性文章的刻板枯燥，而是大气舒卷，挥洒自如，生动灵活，有很强的可读性，既体现了扎实而空灵的学风，又恰好符合“大家小书”这套丛书的宗旨，即：“大家”写给大家看的书，雅俗共赏，开卷有益。

2015年8月于南京大学启园

目　录

上编　唐诗文献综述

003　/　文集
016　/　史传
026　/　小说
035　/　谱牒
045　/　碑志
054　/　壁记
062　/　登科记
071　/　书目
080　/　诗话
088　/　艺术

096 / 地志
104 / 政典
108 / 释道书

下编　唐诗发展历程

121 / 李白奇特的文化背景
130 / 杜甫身后的求全之毁和不虞之誉
157 / 元和文坛的新风貌
182 / 韩愈的《永贞行》以及他同刘禹锡的交谊始末
209 / “芳林十哲”考
227 / “唐十二家诗”版本源流考
241 / 从“唐人七律第一”之争看文学观念的演变

上编 唐诗文献综述

唐代诗歌的成就极为卓越，历代有关唐诗的研究成果也极为丰富。介绍有关唐诗的文献，有助于读者的学习，有助于研究工作的开展。

唐诗之所以能够流传后世，从早期的情况来说，依仗下面三项有利条件：（一）唐五代时积累了许多有关当代诗歌的基本材料；（二）在宋初帝王的倡导下，注意搜集和保存唐代文献，从而推动了唐诗的整理和编纂的工作；（三）印刷术的发明，使各项成果能以更有效的方式保存与传播。

文集

首先可从宋初帝王的热心保存文献说起。

唐代自安史之乱以后，藩镇割据，军阀混战，中央政权在不断遭到削弱之后，终告覆灭。宋太祖赵匡胤建国之后，接受前代教训，采取偃武修文的国策，其后几代帝王都很热心文化事业，并做出了成绩。

宋敏求《春明退朝录》卷下曰："太宗诏诸儒编故事一千卷，曰《太平总类》；文章一千卷，曰《文苑英华》；小说五百卷，曰《太平广记》；医方一千卷，曰《神医普救》。《总类》成，帝日览三卷，一年而读周，赐名曰《太平御览》。又诏翰林承旨苏公易简、道士韩德纯、僧赞宁集三教圣贤事迹，各五十卷，成书，命赞宁为首坐，其书不传。真宗诏诸儒编君臣事迹一千卷，曰《册府元龟》；不欲以后妃妇人等事厕其间，别纂《彤管懿范》七十卷，又命陈文僖公裒历代帝王文章为《宸章集》二十五卷，复集妇人文章为十五卷，亦世不传。”于此可见当时修书的规模之大和编纂的收获之丰。

这些书中，尤以后世称为宋初四大书的《太平御览》《太平广记》《文苑英华》《册府元龟》的价值为大。《太平御览》为类书，《太平广记》为小说总集，《文苑英华》为文学总集，《册府元龟》为分类政治通史。这四种书，都是各个门类的集成之作，至今仍为探讨这些门类的问题时从中发掘材料的渊薮。

对研究唐诗来说，《文苑英华》的价值尤高。太宗于太平兴国七年（982）敕李昉、扈蒙、徐铉、宋白等人修纂此书，又命苏易简、王祜等人参修，雍熙四年（987）编成。这书为接续梁昭明太子萧统《文选》而作，文体分三十八类，也与《文选》全同。诗是其中主要的一种文体，也是容量最大的一种文体。

《文选》所收，上起先秦，下讫梁初。《文苑英华》即上起梁代，下讫于唐。唐代之前作品录入的很少，所以《文苑英华》中的作品，什九以上为唐人之作，以唐诗而言，即有一万余首之多。南宋宁宗嘉泰年间，周必大致仕家居，始行刊刻。其时此书历经传写，已多误脱，必大乃命门客彭叔夏等援用唐代的许多文献详加校雠。叔夏后撰《文苑英华辨

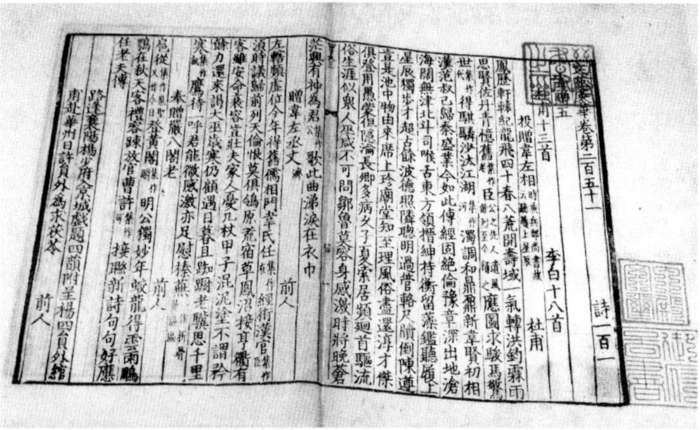

文苑英華卷第二百五十一　詩一百一
投贈五
杜甫十三首　李白十八首
投贈韋左相　杜甫
鳳歷軒轅紀龍飛四十春八荒開壽域一氣轉洪鈞霖雨
思賢佐丹青憶舊臣應圖求駿馬驚
世得騏驎沙汰江湖濁調和鼎鼐新韋賢初相
漢范叔已歸秦盛業今如此傳經固絕倫豫章深出地滄
海闊無津北斗司喉舌東方領搢紳持衡留藻鑑聽履上
星辰獨步才超古餘波德照鄰聰明過管輅尺牘倒陳遵
豈是池中物由來席上珍廟堂知至理風俗盡還淳才傑
俱登用愚蒙但隱淪長卿多病久子夏索居頻迴首驅流
俗生涯似眾人巫咸不可問鄒魯莫容身感激時將晚蒼
茫興有神為君歌此曲涕淚在衣巾
贈韋左丞丈濟　前人
左轄頻虛位今年得舊儒相門韋氏在經術漢臣
須時議歸前列天倫恨莫俱鴒原荒宿草鳳沼接亨衢有
客雖安命衰容豈壯夫家人憂几杖甲子混泥塗不謂矜
餘力還來謁大巫歲寒仍顧遇日暮且踟躕老驥思千里
饑鷹待一呼君能微感激亦足慰榛蕪
奉贈嚴八閣老　前人
扈從登黃閣明公獨妙年蛟龍得雲雨鵰
鶚在秋天客禮容疏放官曹許接聯新詩句句好應
任老夫傳
路逢襄陽楊少府入京城戲題四韻附呈楊四員外綰
甫赴華州日詩員外為求茯苓　前人

《文苑英华》

证》十卷，留下了许多珍贵的异文，且发凡起例，将考订成果分为二十一例，逐项论述，成了校雠学上的一部名著。

周必大在《文苑英华序》中述及唐人文集流传的情况时说：“是时印本绝少，虽韩、柳、元、白之文尚未甚传，其他如陈子昂、张说、张九龄、李翱等诸名士文集，世尤罕见。修书官于宗元、居易、权德舆、李商隐、顾云、罗隐辈或全卷收入。”可见其中收容之富。后人也就利用此书广泛地进行纂辑，即以《四库全书》中所保存的七十六家唐人文集而言，其中李邕、李华、萧颖士、李商隐等人的集子，都是这样辑出来的。

君主热衷于保存前代文献，臣下自然会热烈响应，例如太宗时参与三大书编纂的宋白，就曾利用有利条件进行搜集和整理，《宋史·宋白传》曰："唐贤编集遗落者多，白缵缀之。"

与宋白同时的宋绶，也是著名的文献学家，其子宋敏求，于此做出了更大贡献。他曾预修《唐书》，又私撰唐武宗以下实录一百四十八卷，说明他对唐代的史事极为熟悉。先是宋绶曾编有《唐大诏令集》一种，宋敏求重加厘正，分为十三类，于熙宁三年重为之序。唐代典册赖此传世。宋敏求还编有《长安志》二十卷，记载唐代都城的形胜遗迹，这些都为了解唐代文化提供了极为有用的材料。

宋敏求家多藏书，还乐于供人使用。王安石编《唐百家诗选》，就是利用他所珍藏的文献编纂的。关于此书的编者和性质，后世多异说，经过近代学者的缜密考证，确认此书仍为王安石编定，他利用的是宋敏求家藏的唐诗百余编，其中绝大部分又当是唐代进士的行卷，因此这些集子的卷数每与书目上的记载不同，而且内容也与传留下来的集子不尽相同。

目前能够看到的唐人文集，差不多都是经过宋人搜集整理而编纂出来的。材料来源不同，整理加工的水平有差异，各种集子的面目也就有所出入了。

这里可举韩愈文集的流传为例，说明宋代学者在整理和保存唐代文献的工作中做出了怎样的努力。

韩愈殁于长庆四年（824）冬，门人李汉即收拾遗文，进行编纂，《昌黎先生集序》中称“得赋四，古诗二百一十，联句十一，律诗一百六十，杂著六十五，书、启、序九十六，哀词、祭文三十九，碑志七十六，笔、砚、《鳄鱼文》三，表状五十二，总七百，并目录合为四十一卷，目为《昌黎先生集》，传于代”。七百之数显然是不对的。有的本子作七百一十六，有的本子作七百三十八，方崧卿《韩集举正》云其数“皆有不合”，而始从“阁本、杭本，要是唐本之旧”。而据方氏介绍，唐代即有令狐（澄）氏本、南唐保大本和赵德《文录》本。这些本子中当然也有很多差异。

但宋初学者见到的韩集，大体上与李汉原编相去不远。《崇文总目》著录仍为四十卷，柳开在《昌黎集后序》、穆修在《唐柳先生集后序》中也说韩集得其全，所以后人对韩集的整理加工，主要放在辑佚和校订上。

按宋代目录所记，唐人文集正本之外，常见有“集外文”的著录，如《郡斋读书志》于《高适集》十卷之外，别著“集外文二卷、别诗一卷”，《李观文编》三卷之外，别著“外集二卷”；《柳宗元集》三十卷之外，别著“集外文一卷”；刘禹锡《梦得集》三十卷之外，别著“外集十卷”。韩愈的情况同样如此，于《韩愈集》四十卷之外，别著“集外文一卷”；到了赵希弁编《郡斋读书附志》时，则除《昌黎先生文集》四十卷外，别著“外集三卷、《顺宗实录》五卷、附录三卷”。显然，四十卷之外的作品，除《顺宗实录》等因体例不同有时分别著录外，应当就是宋代那些热爱韩文的人辛勤搜集得来的了。

宋代学者整理韩集时，还做了大量的文字校订工作，这方面的学术专著，前有方崧卿于孝宗淳熙十六年（1189）刊行的《韩集举正》十卷、《外集举正》一卷。方氏将采获到的各种不同版本仔细地做了比照，所据者有石本、令狐（澄）氏本、蔡谢校本、南宋保大本、秘阁本、祥符杭本、嘉祐蜀本、赵德《文录》、谢任伯本、李汉老本，以及《文苑英华》《唐文粹》等。在校雠体例上，也有很好的创树，云是“当刊正者以白字识之，当删削者以圈毁之，当增者位而入之，当乙者乙而倒之，字须两存而或当旁见者，则姑注于其下，不复标出”。应该说，这是很严肃而科学的一种校雠法。

随后朱熹于宁宗庆元三年（1197）撰《韩文考异》十卷，在方氏的基础上又把整理工作提高了一步。朱熹为一代大儒，经他加工的著作，自然更有可观。他认为，方崧卿的弊病在于识见不足，“去取多以祥符杭本、嘉祐蜀本及李谢所据馆阁本为定，而尤尊馆阁本，虽有谬误，往往曲从，他本虽善，亦弃不录”。朱熹本人则“悉考众本之同异，而一以文势义理及他书之可证验者决之。苟是矣，则虽民间近出小本不敢违；有所未安，则虽官本、古本、石本不敢信”。这样也就在重视底本校勘的基础上，兼用了一些理校方法。由于他态度严谨，学识高明，所以《考异》一出，《举正》几废，说明宋代的文献整理工作沿着精益求精的道路正常地发展着。

唐代文集就是这样经过不断加工而流传下来的。

研究唐诗必须根据现存文献，当然无法回避版本方面的问题。我们必须对前人文集的来龙去脉有所了解，才能知道各种本子的优劣，从而有所抉择。

版本问题与印刷术的发明有关，这里也应做些介绍。

唐代中晚期时，已有印刷品出现，但多限于佛像和历本等物。五代之时，已有官府主持雕版印制的五经和九经，也有一些私人主持印制的总集和类书，但这项技术用于印制文集，要到宋代之后方才普遍。

一些热爱前人诗文的文士，自然会想到运用这项新的技术把喜爱的集子流传下去。穆修刻印韩柳二集，是这方面的典型事例。有关此事，宋人笔记《东轩笔录》卷三、《曲洧旧闻》卷四等书均有记载。后人综合诸说，作《穆参军遗事》，引《辨惑》曰："穆参军老益家贫，家有唐本韩柳集，乃丐于所亲厚者，得釜募工镂板印数百集，携入京师相国寺，设肆鬻之。伯长坐其旁，有儒生数辈至其肆辄取阅。伯长夺取，怒视谓曰：'先辈能读一篇，不失一句，当以一部为赠。'自是经年不售。"生动地记录了这些文士的热忱和干劲。

穆修整理韩集，倾注了巨大的精力，时历二纪之外，文字才行点定，刻印成集后，自行设摊出售。由此可见，随着新技术的采用，书籍迅速地成为流通商品，这对文化的发展，具有巨大的促进意义。

唐人诗集也就以更大的规模流通于社会。

如果说，唐代诗人为了让自己的作品不致散佚泯灭，费尽了苦心，还是难以经受兵燹的洗劫和时光的冲刷。即使像白居易那样，经过周密思考，将六七十卷的文集抄写五本，三本藏在少受外界侵害的佛寺，两本分付亲人。但就是这样，各处藏本还是不能保证安全。香山寺的本子经乱不复存在，东林寺的本子则为淮南军阀高骈仗势取去，随后也就不知所终，于此可见，仅靠抄本传世，何等困难。至于那些穷苦文人，无力进行抄写，更是无法确保其诗文的存亡了。

宋代印刷事业的发展，也就为保存唐人文集提供了最好的条件。一经印刷发行，那就不是区区“五本”的问题了。读者容易购置，也容易保存，唐诗之能以传留下来，应该归功于宋人的及时整理和印刷发行。

后人研究唐诗，总是希望得到宋版的集子作为依据，这是因为除唐写本之外，宋本已是最近原貌的了。

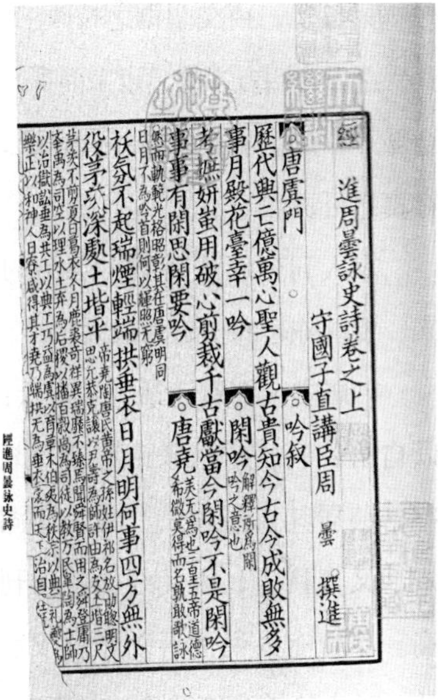
經進周曇詠史詩卷之上
守國子直講臣周　曇　撰進
唐虞門　吟敘
歷代興亡億萬心聖人觀古貴知今古今成敗無多
事月殿花臺幸一吟　閑吟 解釋所為閑吟之意也
考撫妍蚩用破心剪裁千古獻當今閑吟不是閑吟
事事有閑思閑要吟　唐堯
祅氛不起瑞煙輕端拱垂衣日月明何事四方無外
役茅茨深處土堦平
經進周曇詠史詩

仿宋钞本周昙《咏史诗》

从事校雠工作和整理古籍的专家，重视宋版，即使是残缺的本子，也无不视若拱璧，原因就在求真。宋本不可得，则求明复宋本或影钞宋本，目的都在力求复现这些本子之中保留着的作品的原貌。

白居易《郡中即事》诗有“遥思九城陌，扰扰趋名利。今朝是只日，朝谒多轩骑”之句，马元调本《白氏长庆集》作“双日”，日本那波道圆本作“直日”，都难通读。宋绍兴本作“只日”，卢文弨据之校改。《宋史·张洎传》：“自天宝兵兴之后，四方多故，肃宗而下，咸只日临朝，双日不坐。”朱金城《白居易集笺校》举此以证，遂怡然理顺。于此可见宋本存真之可贵。

宋人刊刻唐人诗集，参与的人多，成果也可观。总的看来，要以陈起的贡献为最大。

韦居安《梅磵诗话》卷中云：“陈起宗之，杭州人，鬻书以自给，刊唐宋以来诸家诗，颇详备。亦有《芸居吟稿》板行，芸居其自号也。”他是江湖诗派中的核心人物。既有诗才，又喜诗道，因此经他整理刊刻的唐人诗集，水平大都很高。尽管有人说他喜以己意改字，然无显证，而他做出的成绩，时人给予高度评价。刘克庄《赠陈起》诗曰：“炼句岂非林处士，鬻书莫是穆参军。”但他是专业的书商，这与穆修有所不同。

江湖诗派本重中晚唐诗，陈起为了张大诗派的声势，出版了许多中晚唐诗人的集子，所以周端臣《挽芸居二首》中曰：“字画堪追晋，诗刊欲遍唐”，说明他在保存唐诗和扩大其影响上做出了巨大的贡献。

陈起所刻的书，卷末或署“临安府棚北大街睦亲坊南陈宅书籍铺刊行”，或署“临安府棚南睦亲坊南陈宅书籍铺刊行”，或云“临安府棚北大街陈宅书籍铺印”，或云“临安府陈氏书籍铺刊行”……据叶德辉《书林清话》卷二介绍，传世尚有《韦苏州集》十卷，《唐求集》一卷，《李群玉诗集》三卷，《后集》五卷，《张蠙诗集》一卷，《周贺诗集》一卷，李中《碧云集》三卷，《鱼玄机诗》一卷，《李贺歌诗编》四卷，《集外诗》一卷，《孟东野诗集》十卷，韦庄《浣花集》十卷，《罗昭谏甲乙集》十卷，《朱庆馀诗集》一卷，李咸用《李推官披沙集》六卷，《常建诗集》二卷。实际上自不止此数。江标影刻《唐人五十家小集》，很多本子原为陈起、陈思父子二人所刻。这些书籍，出自棚北大街陈宅，故习

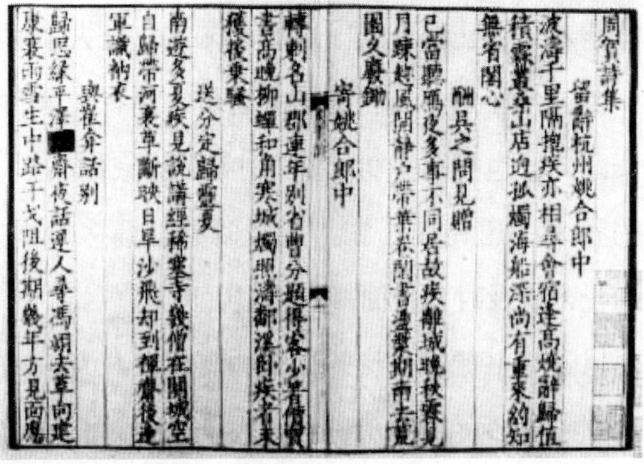
周賀詩集
留辭杭州姚合郎中
波濤千里隔抱疾亦相尋會宿逢高燒辭歸值
積霖叢巖山店迥孤燭海船深尚有重來約知
無省閣心
酬吳之問見贈
已當聽鳴夜多事不同居故疾離城晚秋霖見
月疎趁風開靜戶帶葉卷閑書邊擾期市去覺
園久廢鋤
寄姚合郎中
轉刺名山郡連年別省曹分題得客少着價
書高曉柳蟬和角寒城燭照濤郡澤餘疾者來
獲復更騷
送分定歸靈夏
南遊多夏疾見說講經稀寒寺幾僧在關城空
自歸帶河衰草斷映日旱沙飛却到禪燈後違
軍識衲衣
與崔弇話別
歸思緑平澤[redacted]霄夜話遲人尋馮翊去草向建
康衰雨雪生中路干戈阻後期幾年方見面

陈起刻《周贺诗集》

称书棚本，向为藏书家所珍视。

明代正德、嘉靖年间，吴下出现一种“唐十二家诗”，《杜审言集》前有庐陵杨万里序，《孟浩然集》前有宜城王士源序、韦縚重序，《岑嘉州集》前有京兆杜确序，《王摩诘集》前有王缙的《进王摩诘集表》。这些地方保留着宋本的原始面貌。这种“唐十二家诗”的行格为每半页十行、行十八字，和书棚本行格一样。这是从正德年间的一批唐人诗集中选出十二家加以重印或复刻而编成的。推究起来，其源应当出自书棚本。

嘉靖时期朱警刻《唐百家诗集》，其行格也是半页十行、行十八字。朱氏在序言中说，各家诗集均以宋本为底本。后人当然不能贸然断定他是根据书棚本而重刻的，但推断其中有不少本子原出陈起父子所印的宋本，当去事实不远。由此可见，陈起父子当年刊行的唐人诗集，除有大量的中晚唐时期的诗集之外，也有很多初、盛唐时期的作家作品。

总的看来，唐诗由于宋人的及时整理而多少得以保存原貌，又由于宋人及时刊行而得以传留后世。

上面只是举书棚本系统的诗集的流传情况为例，说明唐诗通过怎样的条件保存了下来。由于宋代书肆林立，印刷业发达，刊刻的唐人诗集为数是很多的。有的诗集则以钞本的方式流传下来。到了明代，文化事业更见发展，文坛上又时而兴起崇尚盛唐之风，时而兴起崇尚中晚唐之风……书商也就配合着搜集、整理、刊刻相应的诗集以求售。这时出现了许多唐人诗集的合刻本，除朱警《唐百家诗集》一百八十四卷外，黄贯曾刻《唐诗二十六家》五十卷，蒋孝刻《中唐十二家诗》七十八卷，黄德水、吴琯刻《唐诗纪》一百七十卷，等等。到了明末，就出现了胡震亨所编的《唐音统签》一千零三十三卷，清初又出现了季振宜所编的《唐诗》七百一十七卷。其后清圣祖玄烨命彭定求等以季、胡二书为底本，重修《全唐诗》，成九百卷，唐诗的整体面貌也就大体上固定了下来。

史传

史传史传一类著作，名目繁多，大体说来，有正史（纪传）、编年、别史、伪史、杂史之别。“正史”“伪史”之分，自然是从皇朝的正统名分着眼的；“正史”“编年”之分，则是从著作体裁区分的；“别史”的性质很杂，其中一部分为政典；“杂史”的性质则近于小说。

研究唐诗，应该首重正史中的资料。因为李唐皇朝重视修史，建有一套完整的征集史料制度。这在《唐会要》卷六三《诸司应送史馆事例》内有详细记载。如云“祥瑞”则“礼部每季具录送”，“天文祥异”则“太史每季并所占候祥验同报”，“变改音律及新造曲调”则“太常寺具所由及乐词报”，“硕学异能高人逸士义夫节妇”则“州县有此色，不限官品，勘知的实，每年录附考使送”。其后又云：“如史官访知事由，堪入史者。虽不与前件色同，亦任直牒索。承牒之处，即依状勘，并限一月内报。”说明史官还有征集史料的责任和权力。

唐代的达官贵人，身殁之后，无不请人撰写行状传记，呈交史馆，以备采撰。有人认为某人应该入史，也可将其事迹径送史官，以备采择，如元稹有《与史馆韩侍郎书》，介绍甄济的事迹；柳宗元有《与史官韩愈致段秀实太尉逸事状》，介绍段秀实的事迹，可见唐朝的史馆中采择史料的渠道是畅通的，史源相当丰富。

正史的来源比较可靠，历朝历代又起用著名的文人学士撰写，后起王朝编纂前代史实，组织措施和修史程序都比较正规，因此相对地说，正史的记载总是比较可靠。

但这并不是说正史中的文字全然可信。由于唐代距今已久，传主的生活年代距离修史之时也已历有年代，文献难免有所散佚，而原始史料中的记载也不可能没有错误，因此引录史文时，仍然需要细加考核。例如高适其人，官高位重，在盛唐诗人中是很突出的，因此新、旧《唐书》中都列有详细的传记。传记大体可信，但在叙及后期入川任职时，却都记作先任蜀州刺史，后任彭州刺史，以致后来的《唐才子传》等书均袭此误。这与高适的仕履显然不合。据此研读高诗，就会显得扞格难通。后来黄鹤等人注释杜诗，援用了柳芳《唐历》和房琯《蜀州先主庙碑》等文献，确证高适入川实为自彭迁蜀。柳芳《唐历》为盛唐时期的编年史，柳芳、房琯均与高适同时，二人之文今已不传，但为宋人的注文所征引，可以据之订正两《唐书》的错误。这就说明，研究唐代某一诗人，不但应当援据正史，同时还要参稽与之有关的各种著述，特别是与此一诗人同时或与其时代相近的文献，以补正史书之不足。

唐、五代的史书，列入正史者共四种，即后晋刘昫领衔实为张昭远等人修撰的《旧唐书》，北宋欧阳修、宋祁等人修撰的《新唐书》，宋初薛居正领衔实为卢多逊等人修撰的《旧五代史》，欧阳修个人修撰的《新五代史》（原名《五代史记》）。这些著作各有其优缺点，援用之时应当有所了解。

关于《新唐书》和《旧唐书》的高下，前人议之颇多，大体说来，可做这样的区划。宣宗之前的人物传记，可以偏重《旧唐书》中的记载，因为在此之前的几个朝代，有关的帝王实录等重要文献大体上还算保存完整，吴兢等人修撰的《唐书》保存得也较完整，张昭远等人据此修撰，也就容易显示水平。宣宗之后，由于国史中断，也未编成实录，时衰世乱，史官也难以多方搜求文献，这样也就影响到史料的完整。《新唐书》继起，欧阳修和宋祁等人鉴于中唐之后史料不足，大量吸收笔记小说等方面的文字入史，总的看来，这一部分的传记确比《旧

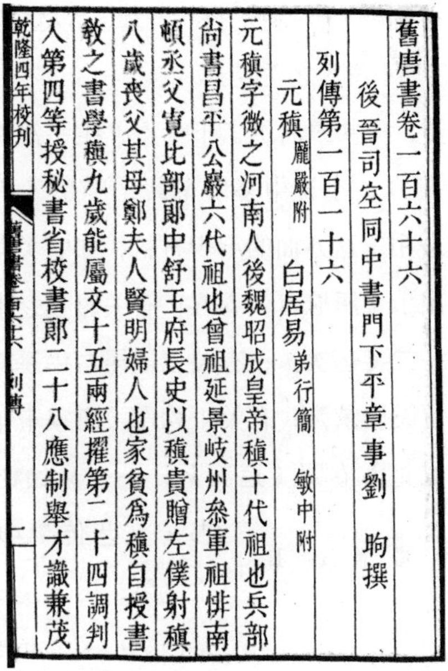
舊唐書卷一百六十六
後晉司空同中書門下平章事劉　昫撰
列傳第一百一十六
元稹 龐嚴附　白居易 弟行簡 敏中附
元稹字微之河南人後魏昭成皇帝稹十代祖也兵部
尚書昌平公巖六代祖也曾祖延景岐州叅軍祖悱南
頓丞父寬比部郎中舒王府長史以稹貴贈左僕射稹
八歲喪父其母鄭夫人賢明婦人也家貧爲稹自授書
教之書學稹九歲能屬文十五兩經擢第二十四調判
入第四等授秘書省校書郎二十八應制舉才識兼茂
乾隆四年校刊　舊唐書卷一百六十六　列傳　二

《旧唐书》

唐书》有所提高，但在《本纪》部分，则因力求简括之故，许多重要史料被删削，反而不及《旧唐书》之详悉。

唐代的人大都能诗。一些达官贵人，都有诗篇传世。因此，新、旧《唐书》中的列传部分，也就是考察这些诗歌作者的有用材料。但纯以诗名而又够得上入史的人毕竟不多，绝大部分诗人，声名不显，只有部分赫赫可称的人才能进入文苑。这些人就不见得有完整的行状、墓志等材料留存，史官也就只能大量采择小说为之立传了。

例如王勃，一共只活了二十七岁，生平没有干过什么大事，但文才出众，小说中多所记载，于是《新唐书·文艺传》中也就援用了这方面的不少材料，如有关写作《滕王阁诗序》事，出于《唐摭言》卷五；有关腹稿之事，出于《酉阳杂俎》卷一二《运次》；有关王通居白牛溪教授门生甚众事，出于《贾氏谈录》；有关王勃作《唐家千年历》事，出于《封氏闻见记》卷四《运次》，……又如杜甫，《新唐书·文艺传》中叙及严武欲杀之事，出于《云溪友议·严黄门》；《严武传》中叙及武卒，母喜曰："而今而后，吾知免为官婢矣！"则出于《国史补》卷上《母喜严武死》。这类记载中夹杂着很多传闻失实的东西，在引用时，必须加以别择。

王勃像

正像《唐书》有新、旧两种传世一样，《五代史》也有两种传世。《旧五代史》虽无完整本子留存下来，但经过四库全书馆臣邵晋涵等人的努力，利用《永乐大典》等书中的材料重行纂辑，一般认为已是十得七八。因为薛居正等人修书时依据的是帝王实录等重要史料，因此有其可贵之处。欧阳修写《新五代史》，着重借修史体现自己的史学思想，但在史实方面，也有一些异同和补订。宋初陶岳著《五代史补》五卷，乃补《旧五代史》而作，叙事首尾详具，可参看。

五代十国，这是我国历史上最为混乱的时期之一。四分五裂的大地上，也活动着不少诗人，虽然成就并不太高，但也反映出了这一时代由唐入宋过渡时期的特点。其中部分诗人的事迹，也见于史书。

五代有史，十国之中，除北汉外，也都有史书留存。如南唐有马令《南唐书》三十卷，陆游《南唐书》十八卷，后蜀有张唐英《蜀梼杌》三卷，吴越有钱俨《吴越备史》四卷，南汉有吴兰修《南汉纪》五卷、梁廷枏《南汉书》十八卷，而合长沙马殷、武陵周行逢、江陵高季兴三国事迹，有周羽翀《三楚新录》三卷，而合十国中之吴杨氏，南唐李氏，蜀王氏、孟氏，南汉刘氏，闽王氏五国事迹成书者，则有北宋人撰《五国故事》二卷。读者如想研究某一位厕身于割据一方的军阀统治区内的诗人，了解其周围的环境，也就可以找这些书一读。

在这些地区内，南唐和蜀地的局势比较稳定，经济条件也好，许多著名的文人前去避难，留滞于此，提高了两地的文化水平，流传下来的史料也就丰富，而撰述南唐野史者为数更多。史载记江南史事者有六家，徐铉、王举、路振、陈彭年、杨亿、龙衮均曾有书，此外有郑文宝《南唐近事》二卷、《江表志》三卷，史虚白之子《钓矶立谈》一卷，不著撰人姓名《江南馀载》二卷。有关南唐诗人的事迹，可以从中搜求。

这些私人著作，限于个人见闻，失实之处颇多，需要利用各种材料互证。例如马令《南唐书》卷五《后主书》中记载：曹彬破金陵，“煜举族冒雨乘舟，百司官属仅十艘。煜渡中江，望石城泣下，自赋诗云：‘江南江北旧家乡，三十年来梦一场。吴苑宫闱今冷落，广陵台殿已荒凉。云笼远岫愁千片，雨打归舟泪万行。兄弟四人三百口，不堪闲坐细思量。’”按元宗李璟共十子，后主为第六子，显与诗中所说兄弟四人的情况不合。再检郑文宝《江表志》卷一，得知此诗实为吴让帝杨溥于泰州永宁宫之作，这样全诗才能豁然通解。夏承焘《南唐二主年谱》于此早已考释清楚，然而至今还有不少人仍将此诗误归李煜名下，这是他们不熟悉当时的史料，也不知道杨溥其人的缘故。

十国的历史更见混乱，后代一直有人企图系统地加以整理，使之明晰可读。宋代路振著《九国志》，采吴、南唐、吴越、前后二蜀、东南二汉（东汉即北汉）、闽、楚九国事，成四十卷，其后又经张唐英增入北楚事，成五十一卷，然已残佚，今传世者仅十二卷。虽然可供参证之处不少，但终使人不无遗憾。时至清初，吴任臣的《十国春秋》一书出现，弥补了这方面的不足。全书计一百一十四卷，内南唐二十卷、前蜀十三卷、后蜀十卷、南汉九卷、楚十卷、吴越十三卷、闽十卷、荆南四卷、北汉五卷、纪元表世系表一卷、地理志二卷、藩镇表一卷、百官表一卷，内容丰富，考证翔实，实属研究十国历史的佳制。这书是吴任臣的精心结撰之作，搜辑既勤，体例又精，成就自高。目下已有徐敏霞、周莹的点校本出版，研究这一阶段诗歌的人，可以充分利用此书了解所谓残唐五代割据区内诗人的动态。

到了元代时，出现了西域人辛文房写作的《唐才子传》十卷。这是一部研究唐诗的专著，共录诗人三百九十七名，介绍事迹，间加评论，实为学习唐诗的必读之书。《四库全书总目》称为"叙述差有条理，文笔亦秀润可观"。然辛氏考订欠精，错误也不少。如该书卷五《张登》曰："尝晚春乘轻车出南薰门，抵暮诣宜春门入，关吏捧版请书官位，登醉题曰：‘闲游灵沼送春回，关吏何须苦见猜。八十老翁无品秩，三曾身到凤池来。’其猖迫如此。”与权德舆《唐故漳州刺史张君集序》等文中记叙的张登事迹殊不合。查《湘山野录》知此实为宋人张士逊事。徐自明《宋宰辅编年录》卷四：“（康定元年）五月壬戌，宰相张士逊拜太傅、鄧国公，致仕”，“士逊自景祐五年三月拜相，至是年五月罢，凡三入相，仅三年”。辛文房所看到的，当是《湘山野录》的原文，该处正作张鄧公，而偶有残夺，讹作“登”字，辛氏遽尔录入，遂成大错。

为此之故，后人起而订正者有之，加说明者有之，最近几年里就出现了好几种校注本。傅璇琮主编的《唐才子传校笺》，集合各方面的专家详加笺释，反映出了近年来唐代诗人研究方面的最新成就，足资学者参考。

最后还应对司马光的《资治通鉴》一书略做介绍。这是一部编年史的名著。《唐纪》部分，委托唐史学家范祖禹纂为长编，自行删定，在材料的取舍和综合上极见功夫。因此《资治通鉴考异》中的唐代部分，也是史学领域中不可多得的宝贵材料。胡三省为《资治通鉴》作注，功力至深，特别是阐述唐代官制和地理的文字，尤为精到。但顾名思义，司马光著此书的目的，是给皇帝提供政治上的借鉴，文学问题非其措意，因此

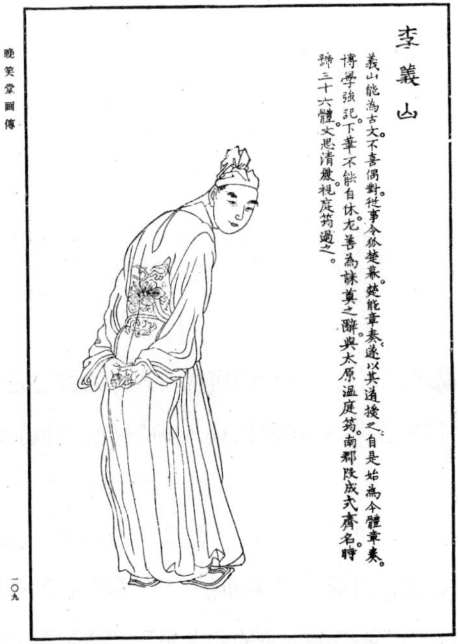

上官周绘李商隐像

有人曾说，假如王叔文在政治斗争失败时不朗诵杜甫《诸葛亮祠堂》诗，那么杜甫的名字也就不可能在书中出现。只是研究唐诗的人如想了解某一阶段的历史情况，那么阅读《资治通鉴》，不失为便捷可据的途径。

小说

总的说来，见之于史传的唐代诗人，为数还是很少的。我们今天要想更多地了解唐代诗人的情况，就得从小说中去寻找。

“小说”一名的内涵，古今有很大的差别，就以古时使用这一概念来说，内涵也在不断扩大。《四库全书》中的小说家，包括过去目录书中所说的“杂史”“传记”“故事”“小说”等类，因此当代学术界常用笔记小说一名来指代，借与近代所说的小说这一文体相区别。

笔记小说的内容极为丰富，文人信笔所之，把所见所闻记录下来，当然无所不可包容了。其中一些喜欢记录文坛掌故的小说，对于研究唐诗来说，价值更大。例如中唐时期李肇著《国史补》三卷，记录了开元至长庆一百多年之间的逸事琐闻，里面有关李邕、崔颢、王维、李白、韦应物、李益、韩愈、元稹、白居易等人的记载，都是后人经常征引的资料，又如五代时期孙光宪著《北梦琐言》三十卷，详载唐末、五代及诸国杂事，记录了许多中晚唐及五代时文人的事迹，诸如顾况、白居易、李商隐、温庭筠、皮日休、聂夷中、杜荀鹤、罗隐、韦庄、和凝等人的逸事，还记载了有关文人温卷等情事，都是研究文史的好材料。

利用小说研究唐诗，能解决的问题很多。这里举例做些说明，借以证实小说确有其重要的文献价值。

一是可见时代风气。例如《国史补》卷下《叙时文所尚》曰："元和已后，为文笔则学奇诡于韩愈，学苦涩于樊

李白像

杜甫像

宗师；歌行则学流荡于张籍；诗章则学矫激于孟郊，学浅切于白居易，学淫靡于元稹，俱名为‘元和体’。大抵天宝之风尚党，大历之风尚浮，贞元之风尚荡，元和之风尚怪也。”这对元和时期文坛上的新风貌是一个高度的概括。研究唐诗的人，自当细细体会。又如《北梦琐言》卷七：“唐卢延让业诗，二十五举，方登一第。卷中有句云：‘狐冲官道过，狗触店门开。’租庸张浚亲见此事，每称赏之。又有‘饿猫临鼠穴，馋犬舐鱼砧’之句，为成中令汭见赏。又有‘栗爆烧毡破，猫跳触鼎翻’句，为王先主建所赏。尝谓人曰：‘平生投谒公卿，不意得力于猫儿狗子也。’人闻而笑之。”可以想见晚唐五代时的诗坛争逐新异，以致导向某些诗篇的内容浅薄无聊，也可看出当时的一些达官贵人欣赏水平的低下。

二是可测政治风波。例如《太平广记》卷二五六引《卢氏杂说》曰：“唐卫公李德裕，武宗朝为相，势倾朝野。及罪谴，为人作诗曰：‘蒿棘深春卫国门，九年于此盗乾坤。两行密疏倾天下，一夜阴谋达至尊。目视具僚亡匕箸，气吞同列削寒温。当时谁是承恩者？背有余波达鬼村。’又云：‘势欲凌云威触天，朝经诸夏力排山。三年骥尾有人附，一日龙髯无路攀。画阁不开梁燕去，朱门罢扫乳鸦还。千岩万壑应惆怅，流水斜倾出武关。’”二诗对李德裕政治上的失败持幸灾乐祸的态度，所言与史实多不合。今知《卢氏杂说》的作者为卢言，乃是牛党中倾陷李德裕的主要人物。读此诗后，可以了解当时各派以文字进行政治斗争已达到不择手段的地步。

三是可考诗人年代。笔记小说的作者限于个人见闻，有时二人同记一事，年代会有很大出入。如中唐时期的诗人宋济，《全唐诗》小传云是德宗时人，与杨衡同栖青城山，而《唐摭言》卷一〇《海叙不遇》则记宋济为玄宗时人，岑仲勉在《读全唐诗札记》中采《唐摭言》说，但他后来撰《唐人行第录》时，则据《太平广记》卷一八〇引《卢氏小说》中德宗见宋济事，改订为德宗时人。因为《太平广记》卷二五五引《卢氏杂说》，记宋济与许孟容相善，许孟容知举，宋济不第，借故讥之。可见岑氏在小说中发现了新材料，重新得出了正确的结论。

四是可辨名字正误。唐代诗人距今已有千年之久，他们的名字，在流传中难免不发生点画之误。例如中唐时期的诗人张祜，一作张祐，二者显有一误。胡震亨《唐音癸签》卷二九："张祜之祜，人多作祐字者。小说，张子小名冬瓜，或以讥之，答云：冬瓜合出瓠子。则张之名祜不名祐，可知矣。"按此事原出冯翊子撰《桂苑谈丛》，可知早在《又玄集》等书中记作"张祐"者均误。

五是可征诗篇遗佚。有些不知名的诗人，并无专集，或虽有集而不传，仅靠小说偶载其诗，因而传世，例如《北梦琐言》卷九：“江淮间有徐月英，名娼也。其送人诗云：‘惆怅人间事久违，两人同去一人归。生憎平望亭前水，忍照鸳鸯相背飞。’亦有诗集。金陵徐氏诸公子宠一营妓，卒乃焚之，月英送葬，谓徐公曰：‘此娘平生风流，没亦带焰。’时号美戏也。”又如《唐语林》卷三叙骆浚事，骆为度支司书手，尝题诗一绝于柏树曰：“干耸一条青玉直，叶铺千叠绿云低。争如燕雀偏巢此，却是鹓鸾不得栖。”遂见知于李吉甫，得升迁。后典名郡，于春明门外筑台榭，卢拱尝题诗曰：“地瓮如拳石，溪横似叶舟。”世称骆氏池馆。骆氏之诗及卢氏残句仅见于此。此馆屡见时人诗文，白居易、李商隐、杜牧等人均曾叙及，可见彼时文士交游的风气。他书言及此人均作骆峻。“浚”字或误。

以上就研究者关注的几个方面略作说明。由此可见，作为唐诗文献大宗之一的小说，作用甚巨，不读小说，就难以发现和解决唐诗中的许多问题。

现将初盛中晚各个时期一些有代表性的小说酌予介绍。

记载初唐时事迹者，有刘悚《隋唐嘉话》、张鹭《朝野佥载》、刘肃《大唐新语》等；

记载盛唐时事迹者，有封演《封氏闻见记》、李德裕《次柳氏旧闻》、郑处诲《明皇杂录》、失名《大唐传载》、郑綮《开天传信记》等；

记载中唐时事迹者，有赵璘《因话录》、张固《幽闲鼓吹》、李浚《松窗录》、裴廷裕《东观奏记》、范摅《云溪友议》、韦绚《刘公嘉话录》、苏鹗《杜阳杂编》、高彦休《唐阙史》等；

记载晚唐事迹者，有失名《玉泉子》、刘崇远《金华子》、张洎《贾氏谈录》、孙光宪《北梦琐言》等。

上面的介绍，也只能说是举例的性质，况且一般笔记小说中的记事总是不受时间限制，后代所作，往往涉及前代，如《北梦琐言》等书中就有许多关于中唐至五代时事的记述。

像《云溪友议》等书中的一些男女爱情故事，离奇曲折，配以优美的诗歌，传颂人口，人们称之为“传奇”。自唐初张鷟的《游仙窟》，至唐末卢瓌的《抒情集》，内中一些旖旎动人的诗歌，也是唐诗中的一道亮丽的景观。

翻阅《新唐书·艺文志》和《崇文总目》、《遂初堂书目》等目录，可知“杂史”“故事”“传记”“小说”等类记载的笔记小说，大部分已遗佚，例如胡璩《谈宾录》、令狐

陈洪绶绘《莺莺传》中崔莺莺

澄《贞陵遗事》、柳玭《续贞陵遗事》、韦绚《戎幕闲谈》、卢言《卢氏杂说》、丁用晦《芝田录》等书，都有很可宝贵的材料。所幸宋初太宗命李昉等人编《太平广记》五百卷，把唐代的许多笔记小说大体上保存了下来。

《太平广记》目录十卷，内分五十五部，计有九十二类。卷首列有引用书目，凡三百四十五种，而据马念祖《水经注等八种古籍引用书目汇编》统计，实核有五百二十六种，而实际上怕还有出入。此书号为“僻籍秘文咸在”。尽管其中神仙鬼怪的比重很大，但包容着大量的唐代笔记和传奇，有关唐代诗人的奇闻逸事，往往赖此书而传世。特别是在《贡举》《诠选》《文章》《才名》等类中，更多文人事迹。

记载唐人逸事的另一部笔记小说《唐语林》，也保存了许多宝贵资料。此书传世者仅八卷，比之《太平广记》篇幅要少得多。然而依其内容之翔实严谨而言，实可并列而无愧。此书卷首列《原序目》一纸，说明它是依据五十种笔记小说编成的。这五十种书，都是很有价值的文史类著作。即使像《杜阳杂编》《剧谈录》之类侈陈怪异的书，所采择者，也是其中较可信的部分。因为王谠编纂《唐语林》时承接的是《世说新语》的传统，偏重人事，注重情致，全面地反映了唐代士大夫与众多文人的风貌。有关文学的记载，不光集中在《文学》一门，其他类目及补遗中亦常见。

与此相类的宋初钱易《南部新书》十卷，资料也很丰富，但编次嫌杂乱。

类书之中，如朱胜非的《绀珠集》和曾慥的《类说》等，也保存着大量的笔记小说，记载着唐代诗人的资料。只是这些类书采录时往往删节过甚，不像《太平广记》《唐语林》中记载之完整。此外，元陶宗仪的《说郛》一书，里面引用的唐宋笔记小说，或有近于原貌者，也有参考价值。此书今有上海古籍出版社影印三种合订本，读者自可参阅。

在这里还可谈一下如何对待正史和小说二者之间关系的问题。陈寅恪在《顺宗实录与续玄怪录》一文中说："通论吾国史料，大抵私家纂述易流于诬妄，而官修之书，其病又在多所讳饰，考史事之本末者，苟能于官书及私著等量齐观，详辨而慎取之，则庶几得其真相，而无诬讳之失矣。”这一见解应当重视。研究唐代诗人，运用史料时，也应遵循这一原则：正史与笔记小说并读。

谱牒

唐人承前代遗风，仍以故家大族姓望为重，虽经皇室的干预，利用重新修订姓氏书等手段，抬高关陇集团新兴贵族的地位，压低原来山东士族的声望，但没有取得预期的效果。这种重视族姓的风气，一直持续到晚唐。

《隋唐嘉话》卷中：“高宗朝，以太原王、范阳卢、荥阳郑、清河博陵二崔、陇西赵郡二李等七姓，恃其族望，耻与他姓为婚，乃禁其自姻娶。于是不敢复行婚礼，密装饰其女以送夫家。”但唐初的许多功臣，不顾皇家阻拦，仍然暗中与大姓通婚，这项禁令随后也就自行消歇。《隋唐嘉话》卷中又曰：“薛中书元超谓所亲曰：‘吾不才，富贵过分，然平生有三恨：始不以进士擢第，不得娶五姓女，不得修国史。’”这话典型地反映了唐代士人的向慕目标，其中之一便是与高门联姻。

七姓、五姓内涵相同，因为崔姓而言清河、博陵，赵姓而言陇西、赵郡，指的是崔、赵两姓中最著名的郡望。

标榜郡望的习气起源很早。自汉代起，随着地方著姓的出现。人们逐渐重视姓氏所出，例如“关西孔子杨伯起”之后，无不自我标榜“弘农杨氏”；袁氏四世三公，其后也就自我标榜“汝南袁氏”。他们的出生之地，也就是籍贯，因在本郡享有声望，故又可称之为“郡望”，郡望和籍贯是统一的。其后由于仕宦等原因，有人迁居外地，但仍标举原来的出生之地以自炫，郡望和籍贯开始脱离；而散布各地的某姓某氏，仍然热衷于标榜其发家之地，各地家族之间则要求通过编撰族谱来进行维系，于是自魏晋南北朝起，也就兴起了所谓谱牒之学。有人专门研究一些家族的源流，记录这些家族中的本支和分支，随后也就出现了综合各家谱牒的姓氏书一类著作。

隋唐之后，世族政治渐告衰落，但因袭而成的流风余韵，却还贯穿一代终始。唐代也有谱牒之学的专家，且有著作传世。柳冲著《大唐姓族系录》二百卷，《新唐书·韦述传》曰：“述好谱学，见柳冲所撰《姓族系录》，每私写怀之，还舍则又缮录，故于百氏源派为详。乃更撰《开元谱》二十篇。”而韦述的著作，又由柳芳补足写成，《新唐书·柳冲传》中还附有柳芳论谱牒的大段文章。其后柳氏和韦氏的子孙也常从事纂辑谱牒之类的著作。

可惜这些唐人的著作大都亡佚了。敦煌石室发现姓氏书数种，内有前人定为《贞观氏族志》而今人认为当属吏部尚书高士廉等所修的《条举氏族事件》，记录的就是全国著名的郡望。由此还可窥见唐初那些世族高门的盛况。

刘知幾在《史通·邑里》中说："且自世重高门，人轻寒族，竞以姓望所出，邑里相矜。……爰及近古，其言多伪。至于碑颂所勒，茅土定名，虚引他邦，冒为己邑。若乃称袁则饰之陈郡，言杜则系之京邑，姓卯金者咸曰彭城。氏禾女者皆云钜鹿。在诸史传，多与同风，此乃寻流俗之常谈，忘著书之旧体矣。"这一番话，对于我们研究唐代诗人的姓氏所出有重要的指导意义。

韩愈像

《旧唐书》中采录了很多唐代史官的原文，叙及传主时，常标郡望，如称王维为太原祁人，高适为渤海蓨人，韩愈为昌黎人之类。又唐人称呼他人时，也常标郡望，如李华《三贤论》中提到陇西李广敬、范阳卢虚舟、颍川陈兼等，都指郡望而言。这些人并非出生或居住在这些地方。

这种称呼经常造成一些理解上的困难。如独孤及在《唐故扬州庆云寺律师一公塔铭并序》中称其与“南阳张继、安定皇甫冉、范阳张南史、清河房从心相与为尘外之友”，而《新唐书·艺文志》集部别集类著录张继诗一卷，下注曰：“字懿孙，襄州人。”二者似有矛盾。实则南阳指的是郡望，襄州指的是籍贯。这里的南阳，是指东汉时期的南阳郡，襄州属下有几个郊县则为汉代南阳郡之属县。因此，张继如果生在襄阳县邑之中，那就和南阳郡无涉；如果生在襄阳郊外，也就可能真是南阳郡人。这和诸葛亮的情况相类，他隐居在襄阳城外的隆中山，而又自称“躬耕于南阳”，后人附会，认为他隐居在中州的南阳，以致彼处也出现了一处卧龙冈。这都是由于泛称郡望而引起的错乱。

唐诗的研究工作中易犯这类错误，如《中兴间气集》的作者，署渤海高仲武，有人就以为他是今天的山东滨县人。殊不知唐人无仅标县邑之习，这里指的是前时的渤海郡，而汉代的渤海郡治又迁徙过几次，有时当今河北沧州，有时当今南皮县，唐人泛称，很难确指。不了解唐人风气而靠查检地理志去落实，就不免张冠李戴。

一些不明就里的人，还把过去的著望滥用，也就增加了更多的混乱。例如窦蒙《述书赋注》曰：“右丞王维，字摩诘。琅邪人。”谷神子《博异志》曰：“开元中，琅邪王昌龄自吴抵京国。”二王并非琅邪王氏后裔，这就离事实更远了。

唐人喜称郡望，实乃沿袭前代余风，用法带有较大的随意性；宋人记录，常改称籍贯，而又不太精确。究其原因，则是由于唐代正处在世族极盛的魏晋南北朝与世族解体的宋代之间。此时谱牒之学由盛转衰，正处在尚还讲求而又不太严格的中间阶段。郑樵《通志·氏族略序》曰：“自隋唐而上，官有簿状，家有谱系。官之选举必由于簿状，家之婚姻必由于谱系。凡百官族姓之有家状者则上之官，为考定详实，藏于秘阁，副在左户。若私书有滥，则纠之以官籍；官籍不及，则稽之以私书。所以人尚谱系之学，家藏谱系之书。自五季以来，取士不问家世，婚姻不问阀阅，故其书散佚，而其学不传。”前此的谱牒具有据之选官和通婚等实际作用，所以有讲求谱学的必要。唐代谱学的实际作用减少，但标榜血统高贵的风气却还没有遽尔泯没，这样也就仍然不断出现有关姓氏的著作，而在日常生活中却又出现了滥用的现象。

唐人的著述条件以及书籍流通的条件远比前代为优，因此六朝的谱牒著作已片纸无存，而唐人的著作则尚有流传者。

理清唐人家族之间的联系，明确一些人物之间的关系，目下所能见到的重要著作，首推林宝的《元和姓纂》。《国史补》卷下《叙专门之学》曰：“氏族则林宝”，可见此人当时即负盛名。可惜这一著作早已残佚，现在流行的孙星衍、洪莹校补本《元和姓纂》十卷，原是四库馆臣从《永乐大典》中辑录出来的，除皇姓外，分依唐韵二百零六部排比，各载受姓之始，下列各家的谱牒。据林宝自序，此书原为备朝廷封爵之用，故无职位者不尽入录，各家子弟亦有记载不全者。而且卷

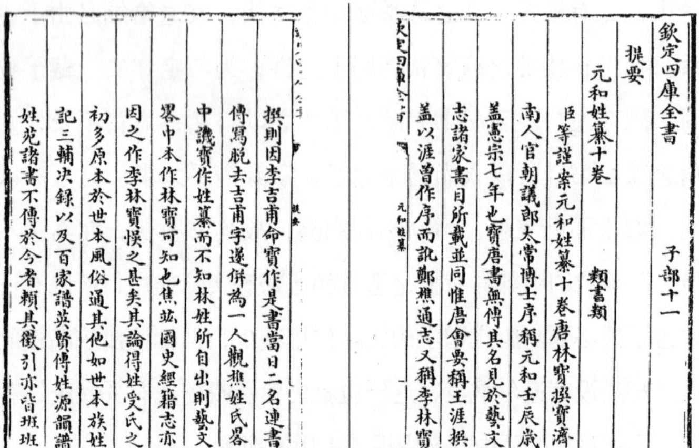
欽定四庫全書　子部十一

提要

元和姓纂十卷　類書類

臣等謹案元和姓纂十卷唐林寶撰寶濟南人官朝議郎太常博士序稱元和壬辰歲蓋憲宗七年也寶唐書無傳其名見於藝文志諸家書目所載並同惟唐會要稱王涯撰蓋以涯曾作序而訛鄭樵通志又稱李林寶

欽定四庫全書　元和姓纂

撰則因李吉甫命寶作是書當日二名連書傳寫脫去吉甫字遂併為一人覩樵姓氏畧中識寶作姓纂而不知林姓所自出則藝文畧中本作林寶可知也焦竑國史經籍志亦因之作李林寶悞之甚矣其論得姓受氏之初多原本於世本風俗通其他如世本族姓記三輔決錄以及百家譜英賢傳姓源韻譜姓苑諸書不傳於今者賴其徵引亦皆班班

《元和姓纂》

首佚国姓（李氏）一门，里面又佚卢、崔、裴、萧、高、杨、郑、薛等大姓，从其他留存的各家来看，时见附会之词，特别是在追叙受姓之由时，更多夸饰。但是书中毕竟保留着许多珍贵的资料，研究唐代文史的人必须加以珍视和利用。

经过众多学者的整理，纠正了不少原有的流传过程中出现的错误，这书已有较好的本子可供阅读。岑仲勉著《元和姓纂四校记》，利用各种文献，特别是广泛征引了碑刻中的材料，全面进行订补，使此书更为便用和可信。

有的诗人，其事迹仅见此书。如《全唐诗》卷二记长孙正隐《晦日宴高氏林亭》《上元夜效小庾体同用春字》二诗，名字之下无所说明。高氏为唐初著名书法家高正臣，《唐诗纪事》卷七于其名下叙曰："《晦日宴高氏林亭》，凡二十一人，皆以华字为韵。（陈）子昂为之序"，"《晦日重宴》，八人，皆以池字为韵，周彦军为之序。《上元夜效小庾体》诗，六人，以春字为韵，长孙正隐为之序"。然而在介绍到长孙正隐时仍无所说明。按传世有《高氏三宴诗集》三卷，《四库全书总目提要》考与宴者颇详，亦云正隐等人事迹不详。馆臣还说此书原出宋刻，云是"卷尾有'夷白堂重雕'字。考宋鲍慎由字钦止，括苍人，元祐六年进士，著有《夷白堂集》。此或慎由所刊欤"。《唐诗纪事》采用的当即鲍本，故内容多同。查《元和姓纂》卷七记长孙纬曾孙贞隐，太常博士。“正”字乃避宋仁宗讳而改。长孙为胡姓，今人姚薇元著《北朝胡姓考》，叙北方胡族族姓由来颇详，可以参看。

唐人俗谚说：“城南韦杜，去天尺五。”足见其声势之隆。这些世家大族，文化水平很高，出现过不少诗人。《元和姓纂》中就记载着许多值得发掘的史料。例如李白有《江夏赠韦南陵冰》《寄韦南陵冰余江上乘兴访之遇寻颜尚书笑有此赠》等诗，前人以为此人乃韦坚之弟，然与史实不合。郁贤皓据《元和姓纂》卷二韦氏郿城公房世系，考知此一韦冰乃韦景骏之子，韦述之弟，韦渠牟之父。权德舆《左谏议大夫韦公诗集序》曰：“初，君年十一，尝赋《铜雀台》绝句，右拾遗李白见而大骇，因授以古乐府之学，且以瑰琦轶拔为己任。”其时韦渠牟年仅十岁稍过，李白以通家子弟之故，亲加指授，遂有所成。假如不知韦冰为何人，也就不能了解李白为什么会对韦渠牟如此关切。

《新唐书·宰相世系表》的作用和《元和姓纂》有类同处。许多不见列传的人物，可从表格中略窥其家世与仕历。按《宰相世系表》六卷（实为十一卷）原为宋初的谱牒专家吕夏卿撰。他用表格的形式表示上下各代的关系，让人有一目了然之感，因此这一著作不但内容包孕宏富，而且形式上也有创新。

按照前人研究，吕夏卿撰《宰相世系表》，主要依据就是林宝的《元和姓纂》。但《元和姓纂》中残佚的部分，《世系表》中时有完整的记叙，而且其中还增加了元和之后的材料，因而自有其价值。有的诗人，其事迹仅见此表，即如作有《奉和九日幸临渭亭登高应制得直字》的李咸，《全唐诗》名下一无说明，查《宰相世系表》二上，知他出于姑臧大房，乃李义瑛之子，宰相李义琰之从侄，官工部郎中。可知在唐诗的研究工作中，此表具有不可替代的作用。

又《新唐书·宗室世系表》一卷（实为二卷）的作用与《宰相世系表》相同，唯包容的人数较少。

宋代还有一部有关谱牒之学的著作，即邓名世《古今姓氏书辩证》四十卷，也是参考《元和姓纂》而编成的，里面也有关于唐人族姓世系的完整记叙。《元和姓纂》中遗佚的族姓，退而求其次，只能从《新唐书·宰相世系表》和《古今姓氏书辩证》等书中去搜求了。原辑本《元和姓纂》卷一〇独孤氏无独孤楷一支，岑仲勉《元和姓纂四校记》即据《古今姓氏书辩证》所录辑入。

有关唐代的一些著名族姓，应该重视上述三书的记载，但在其他一些不为世人所重的书中，有时也会遇到个别有价值的资料，例如章定《名贤氏族言行类稿》卷四六叙畅氏曰：“唐户部尚书畅璀，尚书左丞畅悦。璀子常、当；当，进士擢第，为太常博士。悦子偃，并河东人。”畅璀，新、旧《唐书》有传，高适有《睢阳赠别畅大判官》一诗赠之。有人以为唐诗中之畅大或是畅当，《唐才子传》卷三《王之涣》叙旗亭画壁故事，误将畅当列入，故此说似可信。畅当是中唐时期的著名诗人，《全唐诗》及一些流行极广的选集，如《唐诗别裁集》《唐宋诗举要》等均以《登鹳雀楼》诗属他所作，近人又据《梦溪笔谈》卷一五及其他典籍考知此诗实为畅诸之作，而《唐诗纪事》卷二七又云畅当、畅诸为兄弟行。《元和姓纂》卷九载“《陈留风俗传》有畅悦，河东人。状云：本望魏郡。瓘子当，悦子偃。又诗人畅诸，汝州人，许昌尉”。“瓘”字显为“璀”字之误。这种记载说明，畅当、畅诸不是同一族人，然畅当有无兄弟，则没有记载，不像《名贤氏族言行类稿》说的明晰。今知畅璀排行第一，畅当排行为二，则畅大判官云云，自然不可能是畅当，而是其父畅璀的了。即此一例，也可看出这类著述的宝贵以及加以综合利用的必要。

碑志

研究唐代人物，包括诗人在内，除了必须运用以书籍形式传世的资料外，还应注意其他一些非书籍形式的文献资料。碑碣和墓志，是其中的大宗。

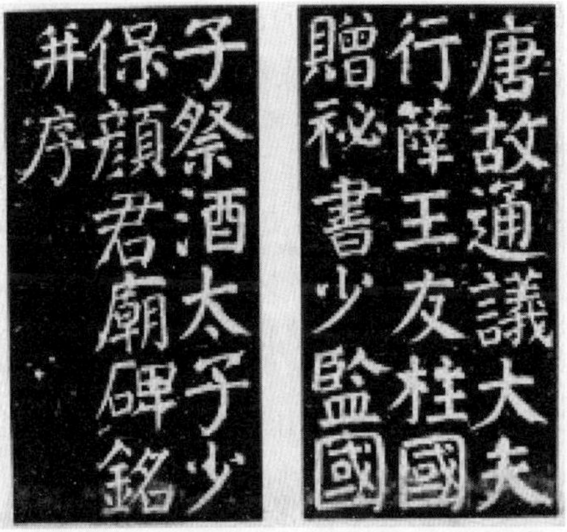

《颜家庙碑》

够得上树碑立传的人物，当然为数不多，丰碑巨碣，铺叙详尽，获得某位名公巨卿的碑铭，就不仅可以了解他的一生，还可以了解到许多有关的历史事件。如果他在史书中有传，则可与碑文互参；如果史书无传，则可补史书之不足。其作用之大，是不难看出的。

后世出土的唐人墓志，比之碑碣，其数量要大得多。因为唐人继承北朝遗风，重视墓志这一体制，地位不分高下，性别不分男女，凡有条件者，都有墓志随葬。由是存世墓志之多，远超禁止立志的南朝，即与重视碑志的北魏、齐、周等朝相比，也有巨大的差别。

唐代墓志大小不一，有制作极精者，有制作粗劣者；有文章写得很好的，也有草率成文的；有的书法佳妙，也有的仅能结体。但判断其文献价值，则不能以墓主的职位高下和志文的篇幅大小为标准。

自从岑仲勉在《续贞石证史》中介绍《唐故文安郡文安县尉太原王府君墓志铭并序》之后，诗人王之涣的生平方为世人所知，于是古时的一切模糊影响之谈一扫而空，有功于唐诗研究匪浅。原石拓片已由李希泌发表在《曲石精庐藏唐墓志》中。又如另一盛唐诗人李颀，成就至高，然生平不详，《唐才子传》仅云“开元二十三年，贾季邻榜进士及第，调新乡县尉”。《千唐志斋藏志》载大历四年（769）邵说撰《唐故瀛州乐寿县丞李公（湍）墓志铭》云：“酷好寓兴，雅有风骨。时新乡尉李颀、前秀才岑参皆著盛名于世，特相友重。”这可能是在时人墓志中叙及李颀历史的仅存文字。可惜李颀本人的墓志未能像王之涣志那样重现人间，提供宝贵的史料，澄清一些疑难问题。

碑刻的情况相同，不应以体制大小区分价值高下。例如宋拓《雁塔唐贤题名》中有云：“侍御史令狐绪，右拾遗令狐绹，前进士蔡京，前进士令狐纬，前进士李商隐，大和九年四月一日。”考蔡京于开成元年（836）进士登第，李商隐于开成二年（837）登第，与题名年代不合，这一“前”字显为后来追添。《唐摭言》卷三《慈恩寺题名游赏赋咏杂记》：“神龙已来，杏园宴后，皆于慈恩寺塔下题名。……及第后知闻，或遇未及第时题名处，则为添‘前’字。或诗曰：‘曾题名处添前字，送出城人乞旧衣。’”蔡京与李商隐伴同令狐子弟出游，正依附其门下时，此一题名可作佳证。

由此可见，唐人石刻对于研究唐代文学具有极为重要的作用。

这一方面的研究，宋代即已开始，并且做出了很大的成绩。首先从事这一方面工作的，要推欧阳修。

欧阳修有《集古录跋尾》十卷行世。他注意搜集前代石本，其时距唐至近，所见到的碑志，也以唐代为多。他所收集的金石文字共有一千多卷，作有跋文的有四百二十多件，后又命次子棐作《集古目录》二十卷，系统加以整理和著录。

继欧阳修起而做出很大成绩的是赵明诚，他收集了金石文字两千卷，著有《金石录》三十卷，内中也以唐代的石刻文字为多。赵明诚撰跋尾之文共五百零二篇，对许多问题做了深入的考证，有助于唐代文史的研究。例如该书卷二八《唐元结碑》曰："右《唐元结碑》，颜鲁公撰并书。案《唐书》列传：结，后魏常山王遵十五世孙，而《碑》与《元氏家录序》皆云'十二世'，盖史之误。又《碑》与《元和姓纂》皆云结高祖名善祎，而《家录》作善禘，未知孰是也。"足以显示碑文对于研究唐诗具有重要的参证作用。

其后又有陈思《宝刻丛编》二十卷问世。此书以《元丰九域志》京府州县为纲，而将石刻中地理之可考者，按各路编纂，未详所在者，则附于卷末。各家辨证审定之辞，则著于下。此书搜集的资料甚为丰富，近于全国碑刻的一次总登记，这也说明宋代已经初步具有对某项事实或现象进行全国普查的条件，因此才有可能出现这种综合性的著作。其后还有王象之《舆地碑记目》四卷行世，此书只记南宋疆域之内的碑刻，但所记叙碑文年月碑主姓名之大略可供考证之需，也是有益于考史的一部著作。

南宋之时还有不著撰人的《宝刻类编》八卷行世。《四库全书总目》称是书“蒐采赡博，叙述详明，视郑樵《金石略》、王象之《舆地碑记目》增广殆至数倍，前代金石著录之富，未有过于此者，深足为考据审定之资”。

上述种种表明，唐人的碑铭和墓志，到了宋代即已得到重视。初步做了一番搜集和整理，为后人留下了一些可贵的原始记录。后人自可据此对有关人员进行考核。例如《全唐诗》卷三一二记李幼卿、李深、羊滔、薛戎、谢勮等人均作有《游烂柯山诗》，说明这些人曾同游此地，而《宝刻丛编》卷一三两浙东路出衢州内载有《唐游石桥序并诗》，下云“序谢良弼撰，诗刘迥、李幼卿、李深、谢勮、羊滔撰，元和七年十二月十二日”，可知《游烂柯山诗》亦当作于同一时期。用这两组诗互证，即可推知这些诗人的活动地区与活动年代。

宋代著录碑刻的著作的一大缺憾是未附原文，这或许是技术条件的限制，到了清代，方始取得突破性的成就。王昶的《金石萃编》一百七十一卷和陆增祥的《八琼室金石补正》一百三十卷，可称辑考古代碑刻的集成之作。二书不但篇幅宏大，内容丰富，体例上也有革新。二者都附有碑刻墓志的原文，这些文字都经过详细的考订，后附各家的研究文字，最后加上自己的判断。读者查究每一篇碑刻，即可获得有关这一方面的许多研究成果。从事唐代文史工作的人，自然要把这两部著作视为案头常用之书了。

清末民初，考证金石文字的风气大盛，端方等人倡之于前，罗振玉等人倡之于后，都有这一方面的著述行世。特别是到民国二十一年（1932）前后，洛阳北邙山大发冢墓，唐代墓志大批流出，其数量之多，内容之富，更是前所未有。一些热心文化事业的人乘机收购，最著名的，便是张钫（伯英）求得唐志一千二百多方，于河南铁门关建千唐志斋以贮之，其后他以拓片的方式，出售《千唐志斋藏石》，为研究唐代文史者提供了珍贵的资料。最近文物出版社又将全部拓片影印出版，改名《千唐志斋藏志》，学术界使用这些材料时也就方便多了。

这里应该对洛阳一地的情况做些说明。唐代自安史之乱后，山东广大地区沦入藩镇之手，文化水平降低，原来一些土著大姓逐渐向内地移动，白居易《唐故虢州刺史赠礼部尚书崔公（玄亮）墓志铭》内云："自天宝以还，山东士人皆改葬两京，利于便近。"而洛阳的北邙，自汉以来一直认为是亡灵归宿之地，葬在这里的人更多。王建《北邙行》曰："北邙山头少闲土，尽是洛阳人旧墓。"因此该地发掘而得的墓志，尤较其他地方为多。罗振玉即撰有《芒洛冢墓遗文》四编十五卷。近人利用洛阳出土志文已经取得了不少成果，如陈寅恪据《唐茅山燕洞宫大洞炼师彭城刘氏墓志铭》《滑州瑶台观女真徐氏墓志铭》考李德裕贬死年月及归葬传说，罗根泽据李昂《唐故北海郡守赠秘书监江夏李公墓志铭》说明李邕享年七十三岁，周勋初据《大唐前益州成都县尉朱守臣故夫人高氏墓志文》探知高适家族及先世所出，可见研究唐诗的人，不可不注意碑刻文字。

有些学者也就凭借丰富的资料从事汇编工作。周绍良长期从事这方面的研究，做了大量辨证文字的工作，取得了阶段性的成果。台湾则有毛汉光的《唐代墓志铭汇编附考》出版，自序中说："在本书所蒐唐代拓片之中，属于人物碑志者，墓志铭约三千三百余张；另碑志铭类、塔志铭类、杂志铭类等约一两千张，总共有五千余张，百分之九十以上的碑铭中人物皆不载于正史。按新、旧《唐书》纪传及附传共二千六百二十四人，故碑志人物数量倍于两《唐书》。以文字数量而言，唐碑志字数亦超过两《唐书》字数。金石文字数量超过正史字数，在历代历朝之中，唐刻乃是独有的现象。"可惜至今还没有条件把散在各地的唐代拓片汇聚在一起印出，这对唐诗的研究工作来说，真是一种缺憾。

薛稷《信行禅师碑》

石刻文字仍在绵绵不断地被发掘出来。研究者要时常注意这方面的讯息，扩大资料来源。例如安徽滁州市文化局编了一本《琅琊山石刻选》，内有刺史李幼卿于大历六年（771）所作的《题琅琊山寺道标道揖二上人东峰禅室时助成此□□筑斯地》五言长诗一首，从未为人著录过。李幼卿还是一位小有声名的诗人，《唐诗纪事》等书均有记载，阅读这首诗，对他的成就会有更多了解。

最后还应指出的是，文人受托写作碑铭墓志中的文字，往往对墓主有所粉饰，因此有关墓主生卒仕履等方面的记载，一般说来还比较可信，至于对墓主或某些事件的评价，那就未必如此了。东汉蔡邕善于写作碑志，他就曾说过："吾为人作铭，未尝不有惭容，唯为《郭有道碑颂》无愧耳。"（《世说新语·德行》刘孝标注引《续汉书》）唐代写作碑志文字报酬丰厚，文人争相罗致，《国史补》卷中《韦相拒碑志》："长安中，争为碑志，若市贾然。大官薨卒，造其门如市，至有喧竞构致，不由丧家。"可见其时风气之坏。即使是那些以正道自居的人，怕也未能免俗。韩愈以写作碑志著称，李商隐《齐鲁二生》叙刘叉事，即云"闻韩愈善接天下士，步行归之。……后以争语不能下诸公，因持愈金数斤去，曰：'此谀墓中人所得耳，不若与刘君为寿。'愈不能止"。后来遂有称碑志为谀墓文者。读者利用这些材料时，应与其他材料互参，以免为其中的粉饰之词所迷惑。

壁记

有关唐代名人的记载，有“三大缙绅录”之说，其一即《元和姓纂》，其他两种则为《尚书省郎官石柱》和《御史台精舍碑》。因为这三种文献上记载着大量的有社会地位的人物的姓名，后两种文献上更记载着当时颇为显要的各部郎中和员外郎以及御史台三院中的官员的姓名，后人可以通过这些材料了解唐代政体建置和任职官员交替的情况。不论从研究政治制度来说，还是从研究个别的人物来说，都很有价值。

上述石柱和碑刻，属于壁记的范围，不论前朝或后代，都未看到过同样的建置，这些壁记可说都是唐人留下的至可宝贵的一种特殊的研究资料。

《封氏闻见记》卷五《壁记》曰：“朝廷百司诸厅皆有壁记，叙官秩创置及迁授始末。原其作意，盖欲著前政履历而发将来健羡焉。……韦氏《两京记》云：‘郎官盛写壁记，以记当厅前后迁除出入，寝以成俗。’然则壁记之由，当自国朝以来，始自台省，遂流郡邑耳。”可见其时不仅尚书省和御史台中有壁记，其他衙门均有，只是没有二者著称，而且大都失载罢了。壁记墨书，易于漫灭剥落，故自开元时起，尚书省中即以石柱代替壁记。石柱题名，也就是壁记的另一方式。看来当时尚书省中建有两个石柱，分载左右二司及二十四司郎中、员外郎之姓名，今记录尚书右丞分管兵、刑、工三部诸司之右边一石已毁，只剩下了记录尚书左丞分管吏、户、礼三部诸司之左边一石。御史台精舍碑的设置情况与此相类，但其建立要比郎官石柱为早。武后之时，冤狱甚多，御史台又为主断大狱的地方，故建精舍以祈福。中宗时在台中建碑，即将壁记代以石刻，由官署移诸精舍。

这两处著名的碑刻，过去似未得到重视，仅宋代的《宝刻丛编》卷七上有记载。直到清代，朴学兴起，注重实物考证，顾炎武访求各地碑刻，始在《金石文字记》中著录。钱塘赵魏仕于西安，亲至碑下手摹其文，刻入《读画斋丛书》，王昶编《金石萃编》，也记下了碑文全部。诸人导夫先路，功不可没，但碑文复杂，取得的成果还很有限。

利用这两种珍贵的史料，取得杰出成就的学者，是赵钺、劳格。赵钺创举之功，但投入的劳动更大，做出的贡献更为卓越的，是劳格。劳格在贫病交困的情况下从事研究工作，殁时仅四十五岁，未能及身定稿，后由丁宝书编为二十六卷，刻入《月河精舍丛钞》，成了后人研究唐代文史者不可或缺的一种资料书。

此书有裨考证，例如《唐诗纪事》卷一记有中宗《九月九日幸临渭亭登高作》，臣下应制，韦安石、苏瑰、李峤、萧至忠、窦希玠、韦嗣立、李迥秀、赵彦伯、杨廉、岑羲、卢藏用、李咸、阎朝隐、沈佺期、薛稷、苏颋、李乂、马怀素、陆景初、韦元旦、李适、郑南金、于经野、卢怀慎二十四人奉和。《全唐诗》录入全部诗作，小传中均叙仕历，而郑南金名下独缺。考《郎官石柱题名》，司勋员外郎中有郑南金其人，可知郑氏时任此官，而其他文献则无此记载。《全唐诗》编者未检《郎官石柱题名》，因而未能补正。

但自赵魏起至劳格止，都有一些问题未能很好解决，推其原因，则是对郎官石柱本身的研究不够深入所致。原来石柱上的郎官题名，先后一共刻过三次，初刻于开元二十九年（741），再刻于贞元中，三刻于大中十二年（858）。石面多次镌刻，空隙越来越小，于是见缝插针，填补空白；前后刻法又不一，还有左旋、右旋的问题，骤视之，很难摸清头绪。经过各家的不断钻研，愈益明晰，于是劳格起而纠正了赵、王二人的错误，但赵、王二人亲自去看过原物，记石柱为七面，劳格遽尔认为当有八面，则是犯了主观臆断的错误。

而各家所犯的最大错误，则是碑文记叙错乱。因为郎官石柱曾中间断裂，清人看到的石柱，已是黏合而成的了。黏合者缺乏必要的历史知识，上下发生了错位，于是原来排列整齐的各司郎中和员外郎，竟羼入到其他衙门中去了。

岑仲勉对这两种著作重新钻研，对于石柱用力尤多，撰成《郎官石柱题名新著录》《郎官石柱题名新考订》二文。《新著录》着重碑文本身的研究，纠正前代学者的各种错误，汇合各种拓片文本，重新对各部郎官的名单进行了整理，于是错综复杂又很纷乱的行格厘然可读，计得位置可见者三千四百余人。《新考订》则对劳格考而未详或有错误者起而补正，材料不足者补之，考证有误者订之，如于“祠部郎中”下说明道：“石柱原有祠中题名，赵、王二本均误入度中，劳本虽剔出若干，然大半仍留在度中之内，致祠中题名，析附度中、祠中之下，皆由劳氏过信书本而过疑石刻之故。余此次井理，与别司异，全照石刻所见录出，依劳《考》命名曰《石刻》。”这份整理后的名单，自然比劳格等人之说更可信。

近人对这两种特殊资料都很重视，时有新的研究成果出现，但首推岑仲勉的贡献为大。当今读者或研究者在利用劳格的《尚书省郎官石柱题名考》和《御史台精舍题名考》时，应和岑氏著作并读，所得知识才更为完整可靠。

这里还可再举一例，说明综合运用姓氏书与壁记等材料考订唐诗时所起的作用。高适有《东平旅游奉赠薛太守二十四韵》，此公不知何人？按诗之前端云“晋公摽逸气，汾水注长流”，知其源出河东。《新唐书·宰相世系表三下》薛氏“西祖兴，字季达，晋河东太守”，是为西祖房之始祖。薛太守当是此族后裔。诗中又云：“御史风逾劲，郎官草屡修。鹓鸾粉署起，鹰隼柏台秋”，可知此人先后曾列职御史、郎官。查此族中工部郎中孝廉之子自劝，仕履与此相符。《唐御史台精舍碑》载自劝为监察御史、殿中侍御史并内供奉，《郎官石柱题名》载自劝为司勋员外郎，与高诗合。《资治通鉴》开元二十四年（736）四月乙丑：“泾州刺史薛自劝贬澧州别驾”，今又升迁至东平太守，所以高诗称其“一麾俄出守，千里再分忧”。由此可见，恰当运用壁记等材料，可解决研究中的很多问题。

唐代还有一种重要的“壁记”，即翰林学士壁记，可与上两种材料参列。

唐代文人，以入翰林为荣。翰林学士执掌御前笔墨，权力很大，故时称“内相”。当时就有不少文人记载院内故事，如李肇《翰林志》、元稹《翰林承旨学士院记》、韦处厚《翰林学士记》、韦执谊《翰林院故事》、杨钜《翰林学士院旧规》、丁居晦《重修承旨学士壁记》等。宋代洪遵汇集唐代有关翰林院的文字，编成《翰苑群书》二卷，成为研究这一机构的重要文献。

翰林学士壁记中的记载至为宝贵，岑仲勉仿赵钺、劳格考订郎官、御史的体例，成《翰林学士壁记注补》十二卷与《补唐代翰林两记》，对唐代那些著名的文学侍从之臣的经历详细地做了考订和记叙。

唐时不但像翰林院这样的衙门有壁记，其他军政衙门有壁记，就是地方上的一些官府也有壁记。李华写作壁记甚多，除《中书政事堂记》《御史大夫厅壁记》《御史中丞厅壁记》《著作郎厅壁记》外，还撰有杭州、衢州、常州、寿州四州刺史厅壁记，京兆府员外参军、河南府参军二厅壁记，安阳、临淄二县县令厅壁记，详细地记叙了这些衙门的建置和任职官员的情况。白居易有《江州司马厅记》，对司马一职的特殊建置做了说明。这些都是有裨考证的资料。尽管壁上墨书不知毁于何年，但却保存在二人的文集和一些总集之中。与此类似的壁记尚多，可供参证。

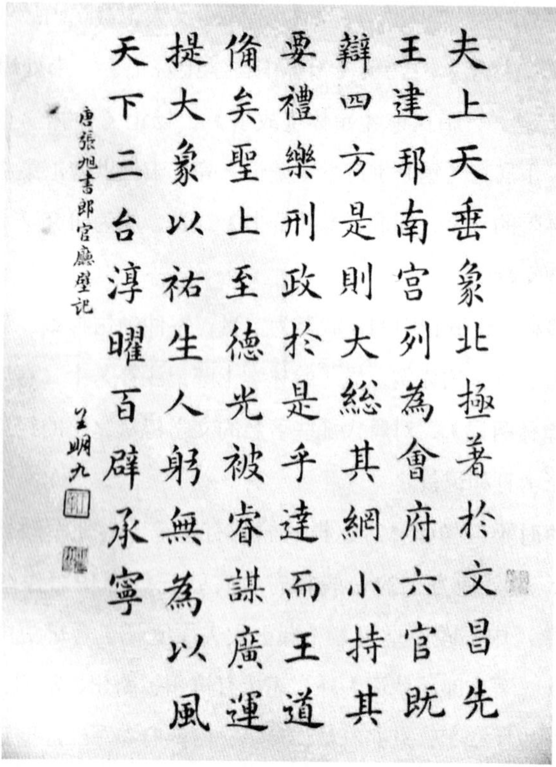

张旭壁记

唐代诗人，除隐居山林或沉沦下僚者外，大都涉足仕途，因为封建社会中的文人，入仕是唯一的出路，这样他们必然厕身于大大小小的官僚机构之中。这时出现了众多记载官署内历任人员的壁记，也就为后人提供了这些方面丰富的可靠资料。

以上所言，主要是从考史的角度论述壁记的作用，并非全面肯定壁记的价值。实则壁记的内容是很芜杂的，吕温《道州刺史厅后记》曰："壁记非古也。若冠绥命秩之差，则有格令在；山川风物之辨，则有图牒在；所以为之记者，岂不欲述理道列贤不肖以训于后，庶中人以上得化其心焉。代之作者，率异于是，或夸学名数，或务工为文，居其官而自记者则媚己，不居其官而代人记者则媚人，《春秋》之旨，盖委地矣。"这就说明，学者若将壁记作为一种史料运用时，必须有所鉴裁才是。

登科记

《全唐诗凡例》中一则曰：“唐人世次前后，最为冗杂，向来别无善本。（季振宜）《全唐诗》及《唐音统签》亦多讹谬。应以登第之年为主。……”可见“登第”之事在唐代诗人的历史上具有重要的意义。

在封建社会里，士人受儒家“学而优则仕”思想的影

宋拓《唐贤慈恩雁塔题名》

响，争取服官，这不仅是为了解决生活问题，而且也是施展个人抱负的主要出路。唐代已经形成了比较完整的科举制度。几项主要的科目，如进士、明经以及制举，吸引着大批文士，其中尤以进士科的吸引力为大。这是因为进士出身的人日后飞黄腾达的机会最多，《国史补》卷下《叙进士科举》曰："进士为时所尚久矣。是故俊乂实集其中，由此出者终身为闻人。……贤士得其大者，故位极人臣常十有二三，登显列十有六七。"因而进士及第者无不意气风发，登第之后还有探花、会宴和慈恩寺塔题名等方式表示庆贺。

《唐摭言》卷三《慈恩寺题名游赏赋咏杂记》言及曲江亭子，"进士关宴常寄其间。既彻馔，则移乐泛舟，率为常例。宴前数日，行市骈阗于江头。其日公卿家倾城纵观于此，有若中东床之选者十八九，钿车珠鞍，栉比而至。"可见这些及第进士们其时情绪之高扬。

唐代应科举考试者，座主门生的关系，同榜之间的关系，尤受重视。长庆四年（824）李宗闵权知贡举，放唐冲、薛庠、袁都等及第，时称"玉笋班"。贞元八年（792）韩愈、欧阳詹、李观、崔群等人联第，时称"龙虎榜"。他们日后的亲密关系，都是在同应进士举时奠下基础的。

《封氏闻见记》卷三《贡举》中说："当代以进士登科

为‘登龙门’，解褐多拜清紧，十数年间拟迹庙堂。轻薄者语曰：‘及第进士，俯视中、黄郎；落第进士，揖蒲、华长马。’又云：‘进士初擢第，头上七尺焰光。’好事者纪其姓名，自神龙以来迄于兹日，名曰《进士登科记》。”

《新唐书·艺文志》上记载，有关唐人登第的著作计有三种，即崔氏《唐显庆登科记》五卷，姚康《科第录》十六卷，李奕《唐登科记》二卷。这些书都已亡佚，而据《玉海》卷一一五《选举》引姚康《科第录叙》，云是穆宗长庆之前的“登科记”就有十多种。这类著作大都出于私人著录，到了宣宗时，情况才有改变。《东观奏记》卷上曰：“大中十年（856），郑颢知举，后宣索科名记，颢表曰：‘自武德已后，便有进士诸科，……所传前代姓名，皆是私家记录，虔承圣旨，敢不讨论。臣寻委当行祠员外赵璘采访诸家科目记，撰成十三卷，自武德元年（618）至于圣朝，谨专上进，方俟无疆。’敕宜付翰林，自今放榜后，并写及第人姓名及所试诗赋题目进入内。仍仰所司逐年编次。”这也就是说，中唐之后已经建立起了逐年编纂的制度。

经过五代之乱，这些“登科记”大半已经散佚，时至宋初，就有人出来搜集，并重行编纂，那位对保存唐代文献做出过重大贡献的乐史，在这方面的成绩也很可观，《玉海》卷一一五《选举》载：“雍熙三年（986）正月，乐史上《登科记》三十二卷，《唐登科文选》五十卷，《贡举事》《题解》各二十卷，以为著作郎，直史馆。”可见他对有关唐代科举的文献全面地做过整理。

南宋高宗绍兴三十年（1160），则有洪适的《重编唐登科记》十五卷问世。此书不见后世目录，想是宋代之后即已亡佚，但在《盘洲文集》卷三四中保存着《重编唐登科记序》，可知他是根据姚康《科第录》的前五卷（即唐高祖、太宗两朝），又据崔氏《显庆登科记》及续书，再参考《唐会要》《续通典》及唐人文集加以补正，故名重编。这就说明，唐代的一些“登科记”，此时还完整地保存着，只是由《因话录》作者赵璘编纂的《登科记》，已经遗佚而不见于书目著录了。

后代记载登科之事最为完备的材料当推马端临《文献通考》。此书卷二九《选举考》二中有一份《唐登科记总目》，载唐初至昭宗天祐四年（907）历年登科人数，末称“右唐二百八十九年逐岁所取进士之总目”。这个总目之中没有包括明经、制举这两种也很重要的科目的中举人数，但如有关秀才科的兴废与中举者的人数等有关材料，则由此书得以保存。看来马端临还能看到不少唐代的“登科记”以及宋代乐史等人的有关著作，才能做出这样详细的记录。

明代万历时，徐应秋撰《玉芝堂谈荟》三十六卷，也保存着许多唐人登科的材料，中如《历代状元》等记载，如果不是见到大量的原始资料，那是编纂不出来的。由此可知，时至明代后期，尚能见到数量众多的唐人登科的文献。

经过历史的淘汰，唐人和宋人所编的“登科记”的原貌已经难于见到，然而王懿荣刻《天壤阁丛书》，于《莆阳黄御史集》后附正德本《别录》一卷，内附有关黄滔登科的册页一幅，保存着某种《唐登科记》的原貌，今将此页转录如下：

唐登科记

卷第八

乙卯乾宁二年刑部尚书崔凝下进士二十五人

观人文化成天下赋　内出白鹿宣示百僚诗

张贻宪　卢　赡　李光序　韦　说　崔　赏

封　渭　卢　鼎　赵观文　郑　稼　黄　滔

李　枢　韦希震　孙　溥　苏　谐　王贞白

程　晏　张　蠙　陈　饶　崔仁宝　卢　赓

崔　砺　沈　崧　李　途　杜承昭　李龟正

当年放榜二月九日宣诏翰林学士陆扆秘书监冯

后阙

除此之外，宋代还有一些关于科举的著作，如记科名分定的《科名分定录》，记名讳的《讳名录》等，都与“登科记”有关。这些都是记载登科之事各类著作中的支流别派。

时至清代道光年间，徐松博征载籍，编成《登科记考》三十卷，对此问题做了全面而深入的考订，给后人提供了一份至可宝贵的研究成果。

徐松以为《文献通考》中的那份唐登科记总目采用了乐史的书，于是以其著录的科名、人物为纲，按年分列。首举当年有关科举的大事，如诏令、章奏、贡举等，后列秀才、孝廉、进士、明经、宏辞、拔萃、制科等及第人名，而以进士为主。徐松博采两《唐书》《唐会要》《文苑英华》《册府元龟》《玉海》《太平广记》《永乐大典》及唐宋以来文集、笔记、诗话、方志等大量材料，将有关人员的事迹注其名下，还将应试者的诗赋附于其后。一编在手，唐人科举的情况，大致可以掌握。徐松还将他对某些具体问题的研究成果用考证和按语的方式注出，足供读者参考。如卷五开元五年（717）博学宏辞科下加按语曰“按博学宏辞科置于开元十九年，则此犹制科也”。又如卷一一大历十四年（779）独孤绶中进士第，又中博学宏辞科，其下都有详尽的考证。唐人年内连捷者不多，徐氏于此做出说明，可解读者疑惑。

全书编排，卷一至二四为唐代部分；卷二五、二六为五代部分；卷二七为登第年代不详的人物，按科目为类，按大概能推知的时代为序；卷二八至三〇为“正史、稗官及唐人艺文之涉贡举”的各种文献，谓之“别录”，均为研究唐代科举的有用材料。书前有凡例十九则，内有徐松的许多研究心得，值得参看。

徐松注意研究唐人科举问题时，正任《全唐文》馆提调及总纂。他利用当时图书资料方面的优越条件，大量发掘《永乐大典》中的材料，如其中的许多方志，均为宋元旧本，记载当地士人应举之事，不见他书记载，这些方志今天很多已失传，也就显得特别可贵。

徐松还广泛运用《文苑英华》中保存的省试（州府试附）诗赋推断作者的及第年代。这些诗赋，一般认为文学价值不高，向来不受重视，然而根据诗赋题目却可以推知作者应试年代。《唐会要》卷七六《贡举中·缘举杂录》：“兴元元年，中书省有柳树，建中末枯，至是再荣，人谓之瑞柳，礼部侍郎吕渭试进士，以‘瑞柳’为题，上闻而恶之。”此事不载年月，然可考知。查《唐语林》卷八记“神龙元年已来累为主司者，……吕渭三，贞元十一年、十二年、十三年。”徐松据《永乐大典》引《闽中记》“陈诩字载物，贞元十三年及第”，又据《永乐大典》引《宜春志》“贞元十三年，宋迪登进士第”，知陈诩、宋迪均为吕渭于贞元十三年知贡举时门下士，而《文苑英华》卷八七载陈诩《西掖瑞柳赋》，又与前“瑞柳”之说呼应；其前尚载郭炯《西掖瑞柳赋》（以“应时呈祥、圣德昭感”为韵），可知郭炯亦为同年进士。《文苑英华》卷一八八尚载陈诩、宋迪《龙池春草》诗，可知此乃该年试题；又二人之后尚有万俟造《龙池春草》诗，可知此人也是同年进士。

由于卷帙浩繁，问题复杂，《登科记考》中不可避免地也会存在一些遗漏和错误。例如《唐才子传》卷一记盛唐诗人刘眘虚为“开元十一年徐徵榜进士”，同书卷二记刘长卿于“开元二十一年徐徵榜及第”，进士例不得再举，故知前文“十”前误夺“二”字，刘眘虚当于开元二十一年及第。《登科记考》漏列这一重要诗人。诸如此类，后人起而补正者颇多。

记录唐代科举的专著，有五代王定保《唐摭言》十五卷，里面有一些道听途说的成分，不尽可据，但毕竟是当代人的原始记录，后人自当重视。今人程千帆的《唐代进士行卷与文学》和傅璇琮的《唐代科举与文学》也足资参证。

王应麟《困学纪闻》卷一四曰：“按《馆阁书目》，《讳行录》一卷，以四声编登科进士族系、名字、行第、官秩，及父祖讳、主司名氏。”而唐人又有以排行称呼的习惯，于是杜二、李十二、岑二十七、高三十五等名字，屡见唐人诗文，造成后人阅读上的很多困难。岑仲勉著《唐人行第录》，对此进行综合研究，得出了许多可信的结论，给予读者很大的方便。

书目

唐代有哪些诗人？他们的作品有多少？这些在书目中都有所反映。唐宋时期的书目丰富而多样，记载颇为详备，据以考史，可征诗人作品的存佚，可考诗人生平的梗概，研究唐诗，必须具有书目方面的知识。

胡震亨《唐音癸签》卷三〇曰："唐人集见载籍可采据者，一曰《旧唐书·经籍志》，一曰《新唐书·艺文志》，一曰《宋史·艺文志》，一曰郑樵《通志·艺文略》，一曰尤氏《遂初堂书目》，一曰马端临《文献·经籍考》；端临所引书又二，一曰晁公武《读书志》，一曰陈直斋《直斋书录解题》。此数书者，唐人集目尽之矣。"随后他就校除重复，参合有无，依世次先后，具列卷目，以供读者参考。

胡氏上述说明及所编集目，值得参考。但郑樵《通志·艺文略》只是照抄前人著录，少所增益；马端临《文献通考·经籍考》中有关唐人诗集的说明，主要引用晁、陈二家之说；尤袤《遂初堂书目》记载过分简单，虽以记录版本为特点，但有关唐人诗集的记载不多，所以研究唐诗，应该重视《旧唐书·经籍志》《新唐书·艺文志》《宋史·艺文志》、晁公武《郡斋读书志》（全称《昭德先生郡斋读书志》）和陈振孙《直斋书录解题》五种书。此外还应注意王尧臣《崇文总目》。

编纂书目之事常带有继承性，后起的某一目录，经常是在撷取前人某种目录成果的基础上累积而成。例如毋煚曾参加由马怀素、元行冲等先后负责编写的《群书四部录》二百卷的工作，《旧唐书·经籍志》引毋煚序，指陈此书未惬之处有五，故另编《古今书录》四十卷。毋煚为初盛唐之交的人，所能著录者，限于初唐时期的著作，但他与作者多同时，记载也就比较可信，其内容接近初唐时期著作的原貌。《旧唐书·经籍志》即抄撮《古今书录》而成，所以并未反映唐人著述的全貌。

《新唐书·艺文志》的文献价值比《旧唐书·经籍志》要高。一代著述，记载比较完整，而且还将一些有用资料附于有关著作之下，如《艺文志》集部别集类载《包融诗》一卷，注云："润州延陵人，历大理司直。二子何、佶齐名，世称'二包’。何，字幼嗣，大历起居舍人。融与储光羲皆延陵人，曲阿有馀杭尉丁仙芝，缑氏主簿蔡隐丘，监察御史蔡希同，渭南尉蔡希寂，处士张彦雄、张潮，校书郎张晕，吏部常选周瑀，长洲尉谈载，句容有忠王府仓曹参军殷遥，硖石主簿樊光，横阳主簿沈如筠，江宁有右拾遗孙处玄、处士徐延寿，丹徒有江都主簿马挺，武进尉申堂构，十八人皆有诗名。殷璠汇次其诗，为《丹杨集》者。”可以说是关于当时东南地区这一文人集团活动情况最为详细的记录。

又如萧楚材其人，传世仅有《奉和展礼岱宗涂经濮济》一诗，《全唐诗》小传曰：“高宗时，为太常博士。”这是根据《新唐书·艺文志》史部仪注类《永徽五礼》下原注而得知的。萧楚材的生活年代及交往，均仅见于此。

宋仁宗时期王尧臣主持编写的《崇文总目》六十六卷，是我国最早出现的一部独立成书的目录。欧阳修也参加了这一工作。今所传者，乃经后人辑录之本，已经佚去序释部分，但大体上仍保持全书面貌。其中关于唐人文集部分的记载，反映了由唐入宋后的变化，由于北宋之时没有发生大的变乱，因此这一阶段唐人文集的传播情况，可从此书约略窥知。

《崇文总目》所著录者截止于宋初，徽宗时以续得之书增入，更编《秘书总目》（卷数不详）。孝宗时有陈骙主编的《中兴馆阁书目》七十卷，宁宗时有张攀主编的《中兴馆阁续书目》三十卷。元初修《宋史》，依据上述四种书目，删除重复，又添入《宋中兴国史艺文志》（卷数不详）中著录的一些典籍，成《宋史·艺文志》八卷。以上各书，除《崇文总目》外，均已散佚，但后人有辑本。《宋史·艺文志》的编写人员没有见过原书，在改编上述书目时工作也很草率，故内容颇为芜杂，如《鱼玄机诗集》误作《鲁玄机诗集》之类。只是此书毕竟根据宋代文献编成，还是可以从中了解唐代文人著作在宋代流传的情况。

晁公武和陈振孙都是南宋时期的著名藏书家。他们在读过收藏的书后，都写有提要。这是我国目录书中保留提要的两部重要著作，特别是二人对唐代文士的记载，由于年代接近，了解更多，所作的记录更显得可贵。

他们常是记下唐代诗人的姓名字号、郡望籍贯、登第年代、仕宦履历，有的地方还介绍诗人群体，或文集版本，所加的评语，也足资参考。

晁公武《郡斋读书志》（袁州本）卷四中叙许浑《丁卯集》二卷曰："右唐许浑，字仲晦，圉师之后，大和六年进士，为当涂、太平二令，以病免，起润州司马。大中三年为监察御史，历虞部员外，睦、郢二州刺史。尝分司于朱方。丁卯，润自编所著，因以名。贺铸本跋云：‘按浑自序集三卷五百篇，世传本两卷三百余篇，求访二十年，得沈氏、曾氏本，并取《拟玄、天竺集》校正之，共得四百五十四篇。’予近得浑集完本，五百篇皆在，然止两卷。唐《艺文志》亦言浑集两卷，铸称三卷者，误也。”《崇文总目》著录许浑集亦三卷，不知是否即浑自序之本？晁氏之说尚可商榷。但此详细的记叙，仍有其不可忽视的价值。

又如陈振孙《直斋书录解题》卷十九叙《贾长江集》十卷曰：“唐长江尉范阳贾岛阆仙撰。韩退之有《送无本》诗，即其人也。后返初服，举进士不第。文宗时作飞谤，贬长江。会昌初以普州参军卒。本传所载如此。今遂宁刊本首载大中墨制云：‘比者礼部奏卿风狂，且养疾关外，今却携卷轴潜至京城，遇朕微行，闻卿讽咏，观其志业，可谓屈人，是用显我特恩，赐卿墨制，宜从短簿，别俟殊科。’与传所称诽谤不同。盖宣宗好微行，小说载岛应对忤旨，好事者撰此制以实之，安有微行而显著训词者？首称‘奏卿风狂’，尤为可笑，当以本传为正，本传亦据墓志也。唐贵进士科，故《志》言责授长江，如温飞卿亦谪方城尉，当时谓‘乡贡进士不博上州刺史’，则簿尉固宜谓之责授。若使今世进士得第而责授簿尉，则惟恐责之不早耳。”从中不但可知贾岛生平，还可

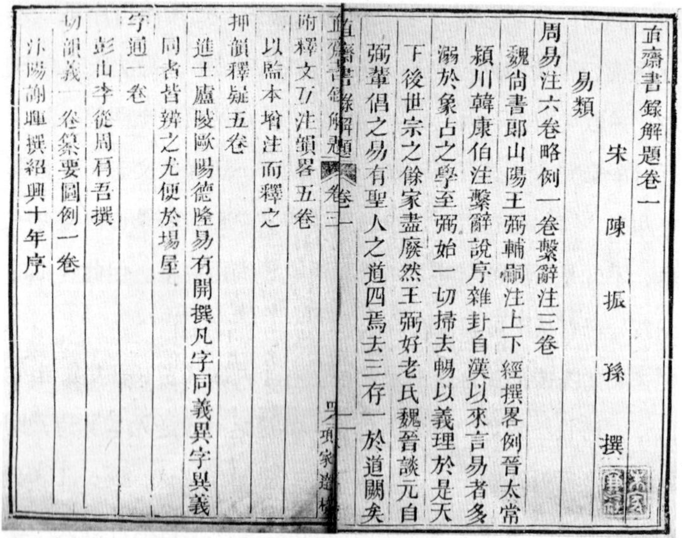
直齋書錄解題卷一
宋 陳 振 孫 撰
易類
周易注六卷略例一卷繫辭注三卷
魏尚書郎山陽王弼輔嗣注上下經撰畧例晉太常
潁川韓康伯注繫辭說序雜卦自漢以來言易者多
溺於象占之學至弼始一切掃去暢以義理於是天
下後世宗之餘家盡廢然王弼好老氏魏晉談元自
弼輩倡之易有聖人之道四焉去三存一於道闕矣

直齋書錄解題 卷三
附釋文互注韻畧五卷
以監本增注而釋之
押韻釋疑五卷
進士盧陵歐陽德隆易有開撰凡字同義異字異義
同者皆辨之尤便於場屋
字通一卷
彭山李從周肖吾撰
切韻義一卷纂要圖例一卷
汴陽胡暉撰紹興十年序

陈振孙《直斋书录解题》

了解到唐代的一些有关传说，并可推知唐宋两代士子地位的不同。

陈书中还附有随斋（程棨）的一些批注，间有精彩之处，如《直斋书录解题》卷一五叙《极玄集》一卷，“唐姚合集王维至戴叔伦二十一人诗一百首，曰：‘此诗家射雕手也。’”随斋批注曰：“《姚氏残语》云：‘殷璠为《河岳英灵集》，不载杜甫诗；高仲武为《中兴间气集》，不取李白诗；顾陶为《唐诗类选》，如元、白、刘、柳、杜牧、李贺、张祐、赵嘏皆不收；姚合作《极玄集》，亦不收杜甫、李白，彼必各有意也。’”这一提示，不是富有启发性，值得深入钻研的吗?

《郡斋读书志》传世者有两种，刻于袁州者凡四卷，世称袁州本；刻于衢州者凡二十卷，世称衢州本。王先谦以袁本校衢本，著其异同，仍依衢本为二十卷，并将赵希弁《附志》附后，最便应用。《直斋书录解题》有徐小蛮、顾美华点校本，亦便使用。

继晁、陈二书之后，附有提要的书目，自然要推清代的《四库全书总目》为最重要。该书卷一四九至一五一，即集部别集类二至四中，共录唐人文集九十一种，逐一做出分析，举凡作者事迹、作品成就、后人评价等，大都扼要，值得参考。有的著作，如仇兆鳌的《杜诗详注》等，则是后代注释唐诗的名著。又《四库全书总目》卷一七四集部别集类存目一中还录有唐吕从庆《丰溪存稿》一卷与《谭藏用诗集》一卷、集外诗一卷，以及唐人文集的注解本多种。此外，在总集类和诗文评类中，还介绍了唐人著作多种。

《四库全书总目》具有很高的学术价值，但它毕竟成书仓遽，疵病亦复不少。余嘉锡的《四库提要辨证》和胡玉缙撰、王欣夫辑的《四库全书总目提要补正》继之而起，余书对此全面进行清理，对唐人文集二十种、总集四种、诗文评两种做了详细的辩证，语皆精到，理当并读。胡玉缙、王欣夫都是偏重版本的学者，他们引用这方面的文字缀于各家文集之下，着重论证版本异同方面的问题，和余氏的著作有所不同。

编纂《四库全书》时，尽管以皇帝的声威号召天下呈上各种集子的善本，取得了很大的成绩，但一时搜求很难齐全，所得的书还是有限的。要想全面了解版本方面的问题，势必要找另外专门记述的书来参看。邵懿辰撰、邵章续录的《增订四库简明目录标注》二十卷首应重视。此书对经、史、子、集四部典籍的版本一一做了详细的著录，还附清代诸名家的批注，包涵甚丰，颇便应用。唐诗集子的版本问题，也可从中得到指引。今天孙殿起的《贩书偶记》及《续编》，专收《四库全书》未收之本，可接续邵书，补其不足。《中国丛书综录》中的唐人文集部分，则将散在各种丛书中的大部分的刻本集中做了介绍。读者利用上述诸书，也就可以较快地了解到唐诗的存佚和版本的异同问题。

今人万曼的《唐集叙录》著录有传本的唐人诗集、文集、诗文合集共一百零八家，对这些唐人别集的著者、书名、卷数、成书年代、编辑、刊刻、收藏等项做了详尽的介绍，对各集的版本源流、体例和流传演变做了细致的考核，引用了不少目录方面的材料，以及众多版本学家的研究成果。对于研究唐诗的人来说，也很有用处。但万氏未必一一看过原书，因而据此研究版本问题时，还应找原书验证，才能避免错误。

诗话

我国古代文人通常喜欢运用“诗话”这种体裁表达文学见解。许顗《彦周诗话》曰：“诗话者，辨句法，备古今，记盛德，录异事，正讹误也。”说明这类作品内容很庞杂，而形式则是很活泼的。唐诗的创作成就极为伟大，但诗人所积累的丰富经验却未能及时总结，从现存的一些“诗格”“诗式”“诗例”之类的著作来看，大都偏于形式技巧方面细枝末节上的研讨，专在对偶、声律、体势上下功夫，诸如五格、十七势、二十式、二十八病、二十九对、四十门等等，细碎烦琐，对指导创作未必有大的帮助。但这毕竟大都是唐人的著述，还是反映了唐代诗学的一个方面，对研究六朝至唐的修辞、诗律和文学批评都有参考价值。

中唐时期的日僧空海（774—835），法号遍照金刚，追封弘法大师，利用旅华时期得到的崔融《唐朝新定诗格》、王昌龄《诗格》、元兢《诗髓脑》、皎然《诗议》等书，编纂成《文镜秘府论》六卷，保存了许多失传的文献，为后人研究文学理论和创作技巧问题提供了许多宝贵的资料。此书今有王利器《文镜秘府论校注》、日本兴膳宏《文镜秘府论译注》加以阐发，都很详备，可以参看。

唐代还有一些小说体裁的著作，如范摅《云溪友议》、孟棨《本事诗》等专门记载诗人故事，因而有人认为应该归入诗话一类。这类书籍对扩大唐诗的影响起了积极的作用，但所记的事却不一定可靠。作者囿于见闻，又受传奇的影响，往往随意渲染，不顾事实。例如《云溪友议·窥衣帷》叙元载之妻激励丈夫成名的故事，范摅把元载之妻记作王缙相公之女，王维右丞之侄，是显而易见的错误。《刘公嘉话录》叙此作“四道节度使女”，可知元载之妻的父亲乃开元时期的名将王忠嗣，这点新、旧《唐书·元载传》中均有记载。

南宋之时，出现了记述唐诗文献的名著——计有功《唐诗纪事》。此书共八十一卷，收诗人一千一百五十家，为后人研究唐诗提供了极为重要的材料。

计有功在《自序》中说，他“闲居寻访，三百年间文集、杂说、传记、遗史、碑志、石刻，下至一联一句，传诵口耳，悉搜采缮录；间捧宦牒，周游四方，名山胜地，残篇遗墨，未尝弃去”。因此书中记载了很多著名诗人的事迹，也保存了很多不太知名的诗人及作品。这些作家作品，假如计有功不去努力搜求，就会湮没无闻，而他采录的大量文献，有些也已遗失，仅靠此书流传。例如张为的《诗人主客图》一书，开后世诗派说之先河，然无完整的本子传世，《唐诗纪事》保存此书原序，《四库全书总目》因称“独借此编以见梗概，犹可考其孰为主，孰为客，孰为及门，孰为升堂，孰为入室，则其辑录之功，亦不可没也”。

计有功采取逢人必录、以人为纲的方式编纂，不论全篇或残句，不论本事或品评，一一归于该人名下，还略叙其世系爵里和生平经历，借供论世知人之需。因此，《唐诗纪事》的巨大贡献就在保存原始资料，而作者自己并没有发表什么评论性的意见。

因为材料来源庞杂，清理不易，书中的疏误之处亦复不少，如误将王绩、王勣分为两人，又把来鹄、来鹏误作一人之类。材料引证错误和书写错误之处也不少。今人王仲镛《唐诗纪事校笺》做了大量的材料溯源和订正文字的工作，有功此书匪浅。

宋代诗话之多，内容之丰富，无法一一详论。何文焕编《历代诗话》，丁福保编《历代诗话续编》，郭绍虞编《宋诗话辑佚》，集中了宋代有代表性的诗话，便于阅读。此外，宋代还有三部篇幅很大的诗话总集，对研究唐诗也有用处。

阮阅编《诗话总龟》，时在北宋；胡仔编《苕溪渔隐丛话》，时在南宋初年，两书所收的材料，当然以北宋人的撰述为主。阮阅编书时，因党禁而不用元祐诸人文章，胡仔继此而作，弥补了这方面的缺憾。此书分两次编成刊出，《前集》六十卷，《后集》四十卷，体例一致。评论对象，以历代重要诗人为主。唐五代列李白、杜甫、韩愈、白居易及杨凝式、罗隐等人，内以有关杜甫的文字为多。引用材料很丰富，且有所别择，较为精当。

南宋魏庆之编《诗人玉屑》二十一卷，搜集的材料以南宋人的诗论为多，可与《苕溪渔隐丛话》中的材料互补。此书分门别类辑录宋人诗论，以研究创作技巧为主，与胡仔之书有所不同。前十一卷分论诗法、诗体、句法、造语、属对、点化、诗病等项，意在指示学诗门径，第十二卷以下则按时代品藻古代诗作与著名诗人，意在树立典范。唐代诗歌，上起李白，下至晚唐，采择有关的评论文字，颇为精要，例如王维之下有子目曰“辋川之胜”，“诗中有画画中有诗”，“造意之妙与造物相表里”，“晦庵谓诗清而少气骨”。这些对研究王维诗歌的特点显然有启示作用。

《诗话总龟》的性质较为复杂，在流传过程中，经过后人改编，已失原貌。《前集》五十卷，当仍为阮书之旧；《后集》五十卷，基本上是《苕溪渔隐丛话》《苕溪诗话》《韵语阳秋》三书的杂凑，当出书贾之手，绝非阮书之旧。以《前集》论，分类编排，多录杂事，犹如一部有关诗话的类书。所引著作，有的已失传，故以资料而言，其价值不在《苕溪渔隐丛话》《诗人玉屑》之下。读者耐心发掘，可以解决唐诗研究中的一些复杂问题。例如《因话录》的作者赵璘、孙光宪《北梦琐言》卷一〇说是“璘甚陋，裴公（坦）戏之”。但他长得究竟怎样，可缺乏记载。《诗话总龟》卷三九《讥诮门》下记曰：“赵璘仪质么陋，第名后赴姻礼，傧相以诗嘲之，曰：‘巡关每傍樗蒲局，望月还登乞巧楼。第一莫教娇太过，缘人衣带上人头。’又曰：‘不知元在鞍桥里，将谓空驮席帽归。’又曰：‘火炉床上平躯立，便与夫人作镜台。’”此一记载当出《抒情诗》（《太平广记》卷二五七引），知傧相为薛能。可征赵璘身躯特别矮小，所以经常遭到人们嘲弄。查《唐诗纪事》卷三五《陆畅》名下有云：“赵麟仪质琐陋，成名后，以薛能为傧相。能诗曰：‘第一莫教蛛太过，缘人衣带上人头。’又‘火炉床上平身立，便与夫人作镜台。’或曰：畅羡而能骂。”赵麟显为赵璘之误。据上可知，赵璘于大和八年应进士举试及第，后即赴姻礼，薛能以诗嘲之。《全唐诗》卷五六一亦载薛能《嘲赵璘》诗，其他残句失载。薛诗首句作“巡关每傍樗蒲局”，则是此公还嗜好赌博。辗转互证，可对赵璘的情况和当时文人善谑的风气增进了解。

宋代诗话，以其影响之大而言，首推严羽《沧浪诗话》。作者批判了江西诗派的流弊，也反对南宋时期江湖四灵的宗尚晚唐之风，“故予不自量度，辄定诗之宗旨，且借禅以为喻，推原汉、魏以来，而截然谓当以盛唐为法”。

唐诗是我国诗歌史上的黄金时代，后起的一些诗派，标举宗旨时，也大都要把唐诗的某一阶段作为取向的对象。例如明代的前后七子，倡言文必秦汉，诗必盛唐；继之而起的公安、竟陵，改途易辙时，也就倾心于白居易的浅易诗风和贾岛的僻苦之作了。

明初高棅编选《唐诗品汇》九十卷，以严羽的理论为指导，进一步将唐诗分为初、盛、中、晚四个时期，有助于唐诗发展阶段的研究，尽管后代一直有人表示异议，但这一学说明晰地勾出了唐诗发展的轮廓，因而一直为后世所沿用。

这里涉及中国文学批评史上的一种特殊现象。有一些文学理论家，并不采用理论著作的形式表达见解，而是编选一部书，通过具体作品的去取，表明导向。清初王士禛倡神韵

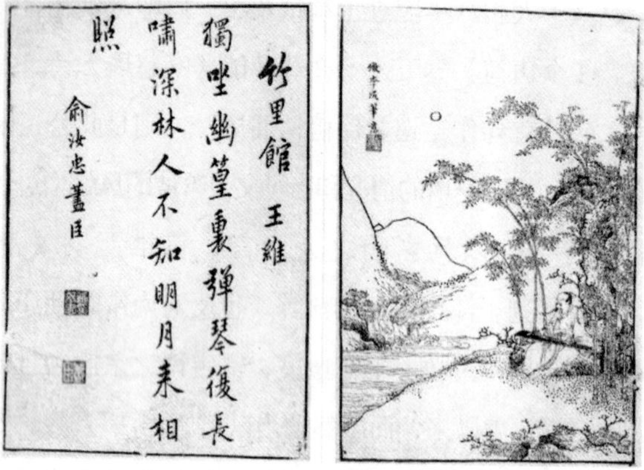

唐诗画谱

说，他就编了一部《唐贤三昧集》，专选王孟一派的神韵绵邈之作，借以表达他崇尚意在言外含蓄不尽的旨趣。沈德潜倡格调说，他就编了一部《唐诗别裁集》，大量选入杜甫等人大声镗鞳的诗作，借以表达他崇尚气象恢宏声调高昂的旨趣。不了解唐诗中这些流品，也就不能深刻体会各个诗派的宗旨；反过来说，如果不了解中国诗史上的源流派别，也就不能深刻地理解每一位具体的唐代诗人。

说到选本，当然首先应该重视唐人选唐诗，如殷璠的《河岳英灵集》，反映出了盛唐人的旨趣；高仲武的《中兴间气集》，反映出了中唐时期诗人的情趣，这些都是研究唐诗的重要读物。而如殷璠之评储光羲曰："璠尝睹公《正论》十五卷、《九经外义疏》二十卷，言博理当，实可谓经国之大才"，可知储光羲在经学和子书上有专著，不仅长于写诗；又如《极玄集》叙李端曰："与卢纶、吉中孚、韩翃、钱起、司空曙、苗发、崔洞、耿湋、夏侯审唱和，号十才子。"可说是有关大历十才子的几种异说之中最可信的一说，由此均可觇知唐人选本之可贵。

至于说到研究唐诗的专著，则可注意胡震亨的《唐音癸签》一书。此书共三十三卷，原是《唐音统签》中的一个部分。胡震亨在编纂这一空前巨著的过程中，积累了丰富的材料，进行了深入的研究，于是将个人心得写成此书，附于全书之末。后来单刻传世，流行遂广。胡震亨对唐诗的源流演变，体制的形成发展，作家的风格异同，创作的形式技巧，以及音乐和文学的关系，常用词汇的诠释，一一做了系统的论述。最后还对唐诗的别集、总集、选集，以及有关的诗话、注本、金石等项逐一做了介绍，有的还列有综合目录，更便参览。

明人胡应麟的《诗薮》一书，也应重视。此书为通论历代诗歌之作，共二十卷。内编六卷，分论古近体诗；外编六卷，分论历代诗歌。二者之中，论及唐代诗歌的体制和诗人的成就得失者，语皆精到，读之有益。

艺术

诗书画的原理是相通的。唐代一些著名的诗人，往往具有多方面的艺术修养，他们或是能诗善书，或是兼通诗画，而且诗人大都热爱艺术，因而诗集之中常有一些品评书画的文字。只是有关诗人的记载，对他们同时精通其他艺事，每每缺乏完整的介绍，这就限制了后人的视野，不能全面了解这些诗人的成就，也无法了解他们触类旁通的根本原因。好在唐宋两代留下几种艺术类的著作，或记书画家的事迹，或记书画真迹的流传，提供了那些诗人而兼通艺事者的研究资料。

大家知道，王维多才多艺，除了诗才出众外，兼通音乐，在绘画上也有突出的地位，因此在张彦远《历代名画记》、朱景玄《唐朝名画录》、阙名《宣和画谱》、郭若虚《图画见闻志》等书中都有记载。读了这方面的文字之后，对王维其人也就会有更深的认识。《唐朝名画录》把他的画列入妙品，说是“复画《辋川图》，山谷郁郁盘盘，云水飞

王维《江干雪霁图》(局部)

动，意出尘外，怪生笔端”，这里所描述的，和他辋川所作的诗意境相通。阅读这一文字，有助于加深对王诗的理解。

和王维交情颇深的诗人张谭，在文坛上也颇有声名，所以《唐诗纪事》卷二〇、《唐才子传》卷二都立有专传，可惜其诗今已只字无存。《历代名画记》卷一〇曰："张谔，官至刑部员外郎，明《易》象，善草隶，工丹青，与王维、李颀等为诗酒丹青之友，尤善画山水。王维答诗曰：'屏风误点惑孙郎，团扇草书轻内史。'李颀诗曰：'小王破体闲文策，落日梨花照空壁。书堪记室妒风流，画与将军作勍敌。'"原来计有功、辛文房二人就是据此录入的。李颀之诗今已不存，《全唐诗》据此辑得残诗四句。

《历代名画记》上的有些记载，还能纠正后人一些传统观念上的偏差。该书卷九记李思训一家的画艺，备致推崇之意。原来北宗画派的首创者李思训"即林甫之伯父，早以艺称于当时。一家五人，并善丹青，世咸重之"。原注："思训弟思诲，思诲子林甫，林甫弟昭道，林甫侄凑。"张彦远还说："李林甫亦善丹青，高詹事与林甫诗曰：'兴中唯白云，身外即丹青。'余曾见其画迹，甚佳，山水小类李中舍也。"上举诗句见高适《留上李右相作》中，可见当时李林甫即以善画享有声名。

但这与史书上的记载很不一致，《新唐书·李林甫传》上说他"无学术，发言陋鄙，闻者窃笑。善苑咸、郭慎徽，使主书记"。《旧唐书》记载相同，还举了两个读别字的笑话作为佐证。然而这种记载颇可怀疑。因为《全唐诗》卷一二一录有李林甫《送贺监归四明应制》《奉和圣制次琼岳应制》《秋夜望月忆韩席等诸侍郎因以投赠》三诗。一般说来，应制之作必须当场缴卷，这就不大可能叫人代笔。二诗固然不能算是佳作，但也不可能是错别字连篇的人所能写得出来的。《秋夜望月》诗稍有可观，发端数句“秋天碧云夜，明月悬东方。皓皓庭际色，稍稍林下光。桂华澄远近，璧彩散池塘……”，立意措辞颇近六朝，这与高诗所赞“兴中唯白云，身外即丹青”相合，又与他精于山水画的记载一致。我国史学向来重视道德评价，像李林甫这样的元恶大憝，对之当然要力加丑诋了。张彦远似仅以艺术的眼光论画，他的记载比较真实可信。

在唐人的题画诗中，杜甫创作最多，成就最高，其《题壁上韦偃画马歌》《戏题王宰画山水图歌》《戏韦偃为双松图歌》《姜楚公画角鹰歌》《观薛少保书画壁》《通泉县署薛少保画鹤》《丹青行赠曹将军霸》《韦讽录事宅观画马图》等，脍炙人口。里面提到韦偃、王宰、姜皎、薛稷、曹霸、韩幹等人，有关唐人书画的书中都有记载，可与诗中所言互参。朱景玄《唐朝名画录》称王宰“画山水树石出于象外”，并引杜诗为证，又举他在席夔舍人厅上见到的图障和在兴善寺见到的画四时屏风为证。这些记载能使读者加深对杜诗的领会。而张彦远《历代名画记》卷九叙韩幹时，亦引

韩滉文苑图
丁亥御札

《文苑图》

杜诗为证，且驳之曰："彦远以杜甫岂知画者？徒以幹马肥大，遂有'画肉'之诮。古人画马有《八骏图》，或云史道硕之迹，或云史秉之迹，皆螭颈龙体，矢激电驰，非马之状也。晋宋间顾、陆之辈，已称改步；周、齐间董、展之流，亦云变态，虽权奇灭没，乃屈产蜀驹，尚翘举之姿，乏安徐之体，至于毛色，多騧騮骓驳，无他奇异。玄宗好大马，御厩至四十万，遂有沛艾大马，命王毛仲为监牧，使燕公张说作《駉牧颂》。天下一统，西域大宛岁有来献，诏于北地置群牧，筋骨行步，久而方全，调习之能，逸异并至。骨力追风，毛彩照地，不可名状，号'木槽马'。圣人舒身安神，如据床榻，是知异于古马也。时主好艺，韩君间生，遂命悉图其骏，则有玉花骢、照夜白等，时岐、薛、宁、申厩中，皆有善马，幹并图之，遂为古今独步。"这里他是从画马的历史着眼，论证韩幹的创新意义，并且注意到了实物写生的特点，才做出评价的。范文澜据此评议道：曹霸遵守传统的手法，侧重刻画马的筋骨，画出来的是瘦马。杜甫的评论代表传统的看法。韩幹画的是"翘举雄杰"的大马，具有盛唐的时代风格。张彦远对杜甫的批评实际上是两种不同观点的反映。

张彦远于大中元年（847）撰《历代名画记》十卷，是唐代画论和画史中最重要的一部专著。他是"三代相门"（张嘉贞、张延赏、张弘靖）的后裔，历代收藏书画真迹很多，本人也善书画，学识渊博，交游广阔，记载当代书画名家的事迹，真实可信，评价亦允当。他还编有《法书要录》一书，把唐代一些书法理论家的著作汇合在一起，内如何延之《兰亭记》一文，记载萧翼乔装至辩才处骗取《兰亭》真本之事，还保留了两首仅见于此文的诗。

除上述几种艺术门类的书籍外，还有僧适之《金壶记》三卷、陈思《书小史》十卷、朱长文《琴史》六卷等，都记有唐代若干精于艺事的人物，可参看。

地志

唐人记载当代地理的文献，今天还能看到的，主要有唐初魏王李泰领衔实由萧德言等编纂的《括地志》（已残，今存辑本），盛唐时期杜佑《通典》中的《州郡》；中唐时期李吉甫编纂的《元和郡县志》，以及《旧唐书》和《新唐书》中的《地理志》。唐代州郡设置前后变化很大，这些著作恰好代表了各个阶段的建置，如《括地志》分全国为十道，共三百六十州，反映了唐初的情况。《通典·州郡》分全国为十五道，共三百二十八郡，反映了天宝年间的情况。《元和郡县志》把州郡归属于方镇的统辖之下，反映了宪宗时期的情况。两《唐书·地理志》都把全国分为三百四十六州，反映了唐代末年的情况。同一州郡，前后归属不一，研究唐代诗人的籍贯和活动区域，应该注意这些地方当时的归属，再到相应的地志中去检核。

这些书中，尤以《元和郡县志》和《新唐书·地理志》二者为重要。前书以当时四十七节镇为准，分镇记载府、州、县的等级，户、乡的数目，以及沿革、山川、道里、贡赋等项，记载详尽，内容丰富。《新唐书·地理志》的记载很有条理，叙历史沿革，各地方物，全国军事的部署和边境民族的分布，以及王朝与境外的交通等，精确可据。

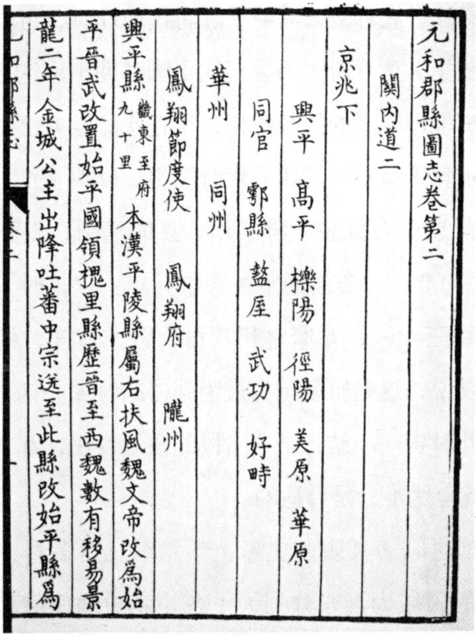
元和郡縣圖志卷第二
關内道二
京兆下
興平　高平　櫟陽　徑陽　美原　華原
同官　鄠縣　盩厔　武功　好畤
華州　同州
鳳翔節度使　鳳翔府　隴州
興平縣畿東至府九十里本漢平陵縣屬右扶風魏文帝改爲始
平晉武改置始平國領槐里縣歷晉至西魏數有移易景
龍二年金城公主出降吐蕃中宗送至此縣改始平縣爲

宋版《元和郡县志》

《新唐书》还有《方镇表》六卷，叙述各个方镇的置废，区划变更的沿革，但未列节度使或称观察使的任命和罢镇年月。近人吴廷燮著《唐方镇年表》八卷，则广征载籍，补列出了各个方镇任免和迁徙的时间。

《元和郡县志》四十卷（已佚六卷）、目录二卷，原名《元和郡县图志》。志文之前，绘有地图可供对照。北宋时图佚，但这种图文对照的体例，后代方志一直沿袭了下来。

今日阅读唐代诗文，需要了解唐代地理时，可以阅读《中国历史地图集》第五册（隋唐五代十国时期）。这本地图集中了很多历史地理学者的研究成果，用近代测绘方法制成，和前代地图仅示轮廓者不同。唐五代时图组，反映了这一时期的政区设置和部族分布概貌。府、州、县的建制，以开元二十九年（741）为准。《资治通鉴》天宝元年："是时天下声教所被之州三百三十一，羁縻之州八百，置十节度、经略使以备边。"可以说，这是唐朝国力最为强盛的时期。初唐时期开拓的成果，此时告一小结，下一阶段的政局变化，都在这基础上进行。以此年为准，是合适的。

今人郁贤皓著《唐刺史考》十六编三百多卷，也以开元二十九年的疆域为准，分列天下各州刺史的任免和迁转的时间。唐代诗人出任地方官的很多，刺史又是重要的官职，阅读这一著作，便于了解某些曾任此职的诗人宦海升沉的经历和踪迹。

宋代初年，乐史以《元和郡县志》为蓝本，编成《太平寰宇记》二百卷。叙及的郡县，很多是唐代原来的建置。但他在前代地志原有格局之外，又增加了历代人物题咏，后世方志一定列有人物、艺文，即受此书影响。

查宋代方志之存于今者，约三十多种；元代方志之存于今者，约十多种。内以《四库全书》著录的朱长文《吴郡图经续记》等为善。从地方来说，则以江浙一带为多。书中的记载也时有错误，但修志者距离唐代还不太远，见到的文献也多，因而时常可以从中发现一些仅见的材料。如《全唐诗》卷八七六录《湖苏二郡语》："湖接两头，苏联三尾"，乃从《南部新书》卷已录来，文曰："咸通末，郑浑之为苏州督邮，谭铢为鹾院官，钟辐为院巡，皆广文。时湖州牧李超、赵蒙相次，俱状元，二郡境土相接，时为语曰云云。"钱易之书乃辑录而成，这一民谣不知原出何书。《唐语林》卷四《企羡》《唐诗纪事》卷五六《谭铢》亦载此事，也不注出处。查范成大《吴郡志》卷一二，乃知此事原出《岚斋集》。《新唐书·艺文志》子部小说家类载李跃《岚斋集》二十五卷，今已散佚殆尽，仅《侯鲭录》卷八、《邵氏闻见后录》卷一七、《全芳备祖》前集卷一九各有引文一条，《吴郡志》中录此佚文，提供了这一被人广泛征引的俗谣的原始出处。

一般说来，明清时期的人修的方志，因为见到的文献和现在差不太多，引用的材料大都可从唐代史书和文集中见到，价值也就不太大了。只有个别博览的学者，才能提供新的知识。如康熙年间查慎行等纂修的《西江志》卷六六引郭子章《豫章书》曰："刘昚虚，字全乙，新吴人。"其地当今江西奉新县。郭子章是明代著名学者，素称博雅，记载刘昚虚的事迹，当有古代文献作根据。殷璠《河岳英灵集》卷上评刘昚虚曰："顷东南高唱者数人，然声律宛态无出其右，唯气骨不逮诸公。"也可用以证明刘昚虚是江西一带的人。《唐才子传》卷一记刘昚虚为崧山人，显然有误，可据上说纠正。

有些庸滥的方志，引用前人艺文时，经常张冠李戴。现在有人致力于从方志中发掘逸诗，而又缺乏必要的考核，往往把一些仍然保存在本人文集中的诗歌作为误标其名的诗人逸诗而收入。若要克服这类错误，必须查明方志作者致误之由，而这有时反可发现一些有趣的问题。例如康熙年间马士琼、吴维哲等纂修之《南皮县志》卷一《图经·古迹》中曰："高适故里在东南六十里，今名夜珠高家。"这就让人感到奇怪。高适生时距此已有千年之久，前此志书于此一无记叙，不知此话何来？今知高适郡望渤海，而东汉时的渤海郡治已移至今南皮县地，所以修志者径将之载入。又康熙年间刘德昌等纂修之《商丘县志》卷一八《艺文》内录高适《送薛据之宋州》一诗，内有“我生早孤贱，沦落居此州。风土至今忆，山河皆昔游。一从文章士，同两京春复秋”等句，似与高适生平契合。然此诗乃崔曙之作，《河岳英灵集》卷下、《唐诗纪事》卷二〇及传世崔曙集均载。崔曙以写作《明堂火珠歌》享盛名，《封氏闻见记》卷四《明堂》曰：“开元中，改明堂为听政殿，颇毁

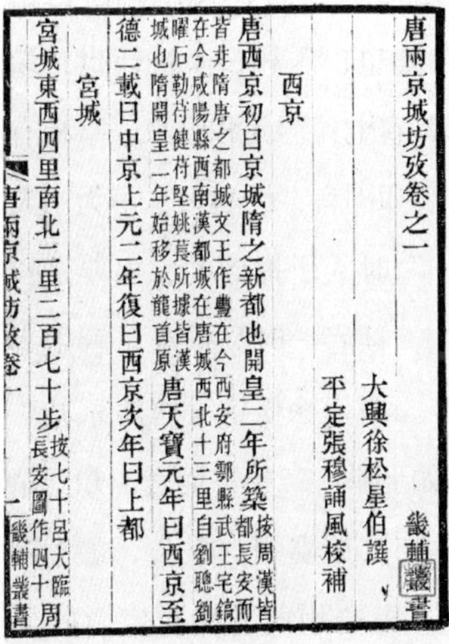
唐兩京城坊攷卷之一　畿輔叢書

大興徐松星伯譔

平定張穆誦風校補

西京

唐西京初曰京城隋之新都也開皇二年所築按周漢皆都長安而皆非隋唐之都城文王作豐在今西安府鄠縣武王宅鎬在今咸陽縣西南漢都城在唐城西北十三里自劉聰劉曜石勒苻健苻堅姚萇所據皆漢城也隋開皇二年始移於龍首原唐天寶元年曰西京至德二載曰中京上元二年復曰西京亥年曰上都

宮城

宮城東西四里南北二里二百七十步按七十呂大臨長安圖作四十周

唐兩京城坊攷卷一　一　畿輔叢書

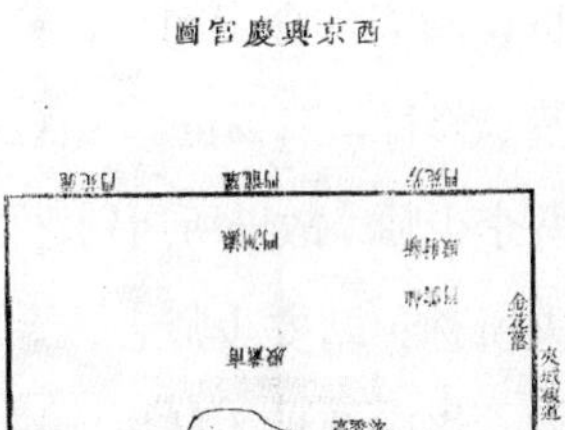

《唐两京城坊考》

彻，而宏规不改。顶上金火珠迥出空外，望之赫然。省司试举人，作《明堂火珠诗》，进士崔曙诗最清拔。”其中警句“夜来双月满，曙后一星孤”，即言火珠夜中光亮异常，有似另一月亮，乃一特大之灯，故称“夜珠”。“夜珠高家”之说，当由此而来。据此又可推知，前此当有一本唐诗合集，偶有脱佚，灭去崔曙之名，而将其诗误缀高适名下，方志作者学识不足，而好附会，遂致产生一系列的误说，在两地方志中均造成混乱。

最后还可附带介绍一下唐人称呼方面的另一种习俗，《南部新书》卷己：“近俗以权臣所居坊呼之：安邑，李吉甫也；靖安，李宗闵也；驿坊，韦澳也；乐和，李景让也；靖恭、修行，二杨也。”《唐语林》卷七：“元和已来，宰相有两李少师，故以所居别之。永宁少师固言，性狷急，不为士大夫所称；靖安少师者，宗闵也。”时人所提到的，主要是长安、洛阳两地的城坊，坊名杂乱，读者一时又很难了解主人是谁，这就给阅读带来不少困难。清代徐松撰《唐两京城坊考》五卷，解决了不少问题，即如上举“二杨”而言，知“靖恭”指刑部尚书杨汝士宅，汝士与其弟虞卿、汉公、鲁士同居，号“靖恭杨家”；“修行”指端州司马杨收宅，收兄发、假，弟严，皆显贵，号“修行杨家”。此书前面还附有好些城坊、皇城和皇宫的地图，甚便参览。随着近日考古工作的开展，两京城坊的地理区划更清楚了，因此最近出现的一些两京城坊地图，也就更为精确可据。

政典

政典之书内容包括很广。以唐代论，正史中《旧唐书》的礼仪、职官、食货、刑法等志，以及《新唐书》的礼乐、选举、百官、兵等志，都可归入政典一类。这些门类之中记述和讨论的是朝廷中有关典章制度方面的情况和问题，凡是研究唐代文史的人都必然要接触到，学习唐诗的人自不能例外。

在这些领域内，唐人有一些重要的文献传世，如记职官建置的《唐六典》，述唐代刑律的《唐律疏议》，录唐代诏令的《唐大诏令集》，以及属于典志通史的杜佑《通典》等。读者如遇某一方面的专门问题，而新、旧《唐书》中的有关部分未能解决时，可以试在这些书中寻找答案。

“会要”这种体裁，是唐代的首创，《唐会要》一书，体例和内容都好，可称历代会要中的最佳之作。阅读和研究唐诗，应当充分加以利用。

此书前后经由数人编成。《郡斋读书后志》卷二《类书类》著录《唐会要》一百卷，“右皇朝王溥撰。初，唐苏冕叙高祖至德宗九朝沿革损益之制。大中七年（853），诏崔铉等撰次德宗以来事至宣宗大中六年，以续冕书，溥又采宣宗以后事，共成百卷。建隆二年（961）正月奏御，史简礼备，太宗览而嘉之。”《新唐书·艺文志》子部类书类著录苏冕《会要》四十卷，又有《续会要》四十卷，则由杨绍复等九人撰，崔铉监修。王溥成书之时，宋朝立国仅两年，可见书中的史料很多出自唐人自撰，比较可靠。

《唐会要》全书原分十五类，今仅存五百一十四目，分叙唐代政教方面的一些问题，颇为详赅。不少类目，和文学直接有关，如“贡举”部分，记录了许多考试科目及重大事件，唐代诗人很多是由科举进身的，了解这一方面的情况，也就掌握了文坛的某种动态。

又如叙述翰林院、弘文馆、文学馆、崇文馆、集贤院、广文馆、秘书省等官署的一些文字，因任职于此者都是一些著名的文人，也就提供了不少有关诗人的动态。《唐会要》卷六五《秘书省》记“贞观七年九月二十三日，上谓侍臣曰：‘朕因暇日，每与秘书监虞世南商量今古。朕一言之善，虞世南未尝不悦；有一言之失，未尝不怅恨。尝戏作艳诗，世南进表谏曰："圣作虽工，体制非雅。上之所好，下必随之。此文一行，恐致风靡，轻薄成俗，非为国之利。赐令继和，辄申狂简，而今之后，更有斯文，继之以死，请不奉诏旨。"群臣皆若世南，天下何忧不治'"。这一番对话，真实地记录了唐初君臣改变六朝艳体的思路，是唐代诗歌史上的一条重要史料。

《唐会要》是一部政典，只记录与政治有关者，有关诗歌的记载较少，而且散在全书，但细加检索，还是可以发现许多罕见的珍贵资料。如卷二七《行幸》内一则曰："开成元年三月，幸龙首池，观内人赛雨，因赋《暮春喜雨》诗曰：'风云喜际会，雷雨遂流滋。荐币虚陈礼，动天实精思。渐浸九夏节，复在三春时。霢霂垂朱阙，飘飖入绿墀。郊坰既霑足，黍稷有丰期。百辟同康乐，万方伫雍熙'。"又卷三五《书法》内一则曰："开成三年，以谏议大夫柳公权为工部侍郎，依前翰林侍书学士。……文宗夏日与学士联句，上曰：'人皆苦炎热，我爱夏日长。'公权曰：'薰风自南来，殿阁生微凉。'上吟久之，因令题于殿壁。"阅读这些记载，有助于了解文宗的诗才、文艺爱好以及欣赏水平。

王溥还编有《五代会要》三十卷，共分十五类二百七十五目，内容与《唐会要》类同。

政书一般只记制度的沿革，不著录具体的人事。今人严耕望撰《唐仆尚丞郎表》二十二卷，对尚书省中左右仆射、左右丞、六部尚书及侍郎的人员任免与迁转用表格的方式列出，用力甚勤。仆尚丞郎是中央官署中的重要职位，唐代诗人中曾任此职者颇多，检阅此书，可以一目了然地看清这些高级官僚的沉浮和时事政局的变化。

释道书

唐代会做诗的和尚很多，称为“诗僧”，有的水平还很高，在诗坛上享有美誉，许多著名诗人都和他们结交。因此《唐才子传》为灵澈、皎然立有专传，道人灵一名下附录维审等四十五人；《唐诗纪事》卷七二至七七共六卷，除附几位道士外，所记都为诗僧事迹，这些都反映了唐代僧人在诗坛上的重要地位。

读者如想了解唐代诗僧的情况，除了阅读士人写作的有关文字外，还应阅读佛徒自身有关这一方面的记载。

大家知道，佛家典籍有《佛藏》之称，包容宏富，难于检索，但如不是进行深入而广泛的专题研究，则查检《高僧传》一类的著作，也就可以大体上对他们有所了解。

有关历代和尚的传记，前有梁释慧皎的《高僧传》十四卷和唐释道宣的《续高僧传》三十卷。后者记录了部分唐代僧人的事迹，但因道宣卒于高宗乾封二年（667），所以记录的唐代僧人仅限于唐初数人；宋释赞宁于太平兴国八年（983）奉诏修成《宋高僧传》三十卷，除了录入南北朝和隋代的个别僧人外，绝大部分是唐代僧人的传记，依其主要内容而言，不妨改称为《唐高僧传》。

全书共立僧人正传五百三十二人，附传一百二十五人。大部分僧人传记，依据碑铭改写，有的还注出原撰者姓名，体例比较谨严。有些传记或其中部分文字出于笔记小说或其他文献，则可信程度较差。此书今有范祥雍点校本，便于阅读。

就以著名的诗僧灵澈上人来说，刘禹锡作《澈上人文集纪》，记载生平颇详。《唐诗纪事》和《唐才子传》均为他立有专传，但《宋高僧传》卷一五《唐会稽云门寺灵澈传》中的记载却更有其细致之处，如云“故秘书郎严维、刘随州长卿、前殿中侍御史皇甫曾睹面论心，皆如胶固，分声唱和，名散四陬。澈游吴兴，与杼山昼师一见为林下之游，互相击节。昼与书上包佶中丞，盛标揀其警句最所重者，‘归湘南作则有“山边水边待月明，暂向人间借路行，如今还向山边去，唯有湖水无行路”句。此僧诸作皆妙，独此一篇，使老僧见，欲弃笔砚。伏冀中丞高鉴深量，其进诸乎？其舍诸乎？……’其为同曹所重也如此。昼又赍诗附澈去见，佶礼

灵澈上人

遇非轻。又权德舆闻澈之誉，书问昼公，回简极笔称之。建中、贞元已来，江表谚曰：‘越之澈，洞冰雪。’可谓一代胜士。”上述灵澈的文学活动，有其他文献所不及。即此二例，足见此传价值之高。

将赞宁的这一传文和刘禹锡《文集纪》对照，可知赞宁没有读到过刘文，不少材料出自自己的搜集。但刘禹锡在《文集纪》中所说“贞元中西游京师，名振辇下。缁流疾之，造飞语激动中贵人，因侵诬得罪徙汀州，会赦归东越”云云，《宋高僧传》中却无记载。在僧人的传记著作里，因无史官文化讲求实录的传统，有的记载很不可靠，但却沾染上了儒家为尊者讳的风气，有时也不免杂以宗教迷信，事涉神异，因此使用这些材料时，应当仔细审核。

佛经大抵包括“长行”即散文和偈颂即诗歌两种体裁。诗僧的诗，有时即以“偈”名。例如宋释惠洪《冷斋夜话》卷一《李后主亡国偈》曰：“宋太祖将问罪江南，李后主用谋臣计，欲拒王师。法眼禅师观牡丹于大内，因作偈讽之曰：‘拥毳对芳丛，由来趣不同。发从今夜白，花似去年红。艳曳随朝露，馨香逐晚风。何须待零落，然后始知空？’后主不省。王师旋渡江。”这是一首完美的诗，《唐诗纪事》卷七六即记作《看牡丹》诗。按此僧法名文益，谥大法眼禅师，《唐诗纪事》即以僧文益之名著录。《全唐诗》卷八二五归为谦光之作，题为《赏牡丹应教》，当是依据《五代史补》卷五中的记载。

不过那些诗偈混称的一般作品可没有这么文采斐然。王梵志和寒山、拾得等人的作品，追求语言通俗自然，可称口语化的哲理诗。拾得曰："我诗也是诗，有人唤作偈。诗偈总一般，读者须子细。"可见这些僧徒认为二者之间是不必有所区分的。

再以佛教史上禅宗六祖传法偈为例，续作探讨。神秀曰："身是菩提树，心如明镜台，时时勤拂拭，莫使有尘埃"；慧能曰："菩提本无树，明镜亦非台，本来无一物，何处惹尘埃？"这到底算不算诗，向来就有不同的看法。这里牵涉一个如何确定诗的界限的问题。对于这一问题，自古以来聚讼纷纭，难以做出结论。御定《全唐诗》凡例之一曰："《唐音统签》有道家章咒、释氏偈颂二十八卷，（季振宜）《全唐诗》所无，本非歌诗之流，删。"《全唐诗》中不收神秀、慧能的偈，大约就是根据上述原则拒收的了。但这却也难以说服他人。要说这两首偈平仄不协吧，这和寒山、拾得的诗可没有什么不同；如以诗的韵味为准而推斥，那和朱熹的《观书有感二首》之一（半亩方塘一鉴开）相比，又有什么本质上的区别？不是也饶有理趣，而非枯燥的说教文字吗？文人有即兴、口号之作，那和尚又为什么不能随机作偈呢？看来对待这一问题，也不能过于绝对，应将唐代僧人某些颇有文采饶有理趣的偈语视作诗歌。

这类偈语大量保存在禅宗的语录中。

在唐代佛教的各宗派中，禅宗的势力最大，信奉的人最多。这一宗派不重学习经典，而是通过各种启示的办法，诱导他人明心见性，立地成佛。运用偈语进行启导，是禅僧常用的手段之一。

有关禅宗的文献，也可分为记事和记言两类。五代时泉州招庆寺静、筠二禅师于南唐保大十年（952）合撰的《祖堂集》二十卷，为叙禅宗的谱系之作。此书在国内长期失传，近年才由南韩、日本影印辗转传回。书中记载了很多禅师的事迹，也保留了很多偈语。

但保留偈语最多的，还要推宋代的五大灯录（释道原《景德传灯录》、李遵勖《天圣传灯录》、释惟白《建中靖国续灯录》、释悟明《联灯会要》、正受《嘉泰普灯录》）为重要。五书各三十卷，共一百五十卷。其后宋释普济删繁就简，将五书合为《五灯会元》一书，共二十卷。如想了解禅宗的诗偈，可到这些书中寻找。

《道藏》是模仿《佛藏》而建立的，里面也有得道者的传记，如赵道一的《历世真仙体道通鉴》五十三卷、续编五卷、后集六卷，篇幅很大，录入的人数很多，也有不少唐代的人物，只是与唐诗有关者很少，参考价值不大。

但唐代诗人和道教密切相关的却又很多。最著名的，自然是李白了。《旧唐书·李白传》中说是“天宝初，客游会稽，与道士吴筠隐于剡中。既而玄宗诏，筠赴京师，筠荐之于朝，遣使召之，与筠俱待诏翰林”。这一记载今人有致疑者。再看《道藏》的《太元部》中，却录有署名吴筠的《南统大君九章经序》，内云“予于开元中著《玄纲论》及《养形论》行于世，诏授江州刺史，辞而不受，晦迹隐于骊山，养胎息。至元和中，游淮西，遇王师讨蔡贼吴元济，避乱东之于岳，遇李谪仙，以斯术授予”。末署“唐元和戊戌吴筠序”。不难看出，这是根据吴筠与李白的密切关系而伪造的夸说。要说开元、天宝时期的人又在元和之时聚首，真是一派胡言。用道教的典籍考史，得加倍小心才是。

《李德裕见客图》

不过这并不是说查究唐代诗人与道教的关系时，可以无视《道藏》中的材料。关键在于认真考核，细心抉择。

目下常见的《道藏》，大都是明正统年间刻本的影印本，学术界习称为《正统道藏》。刻《正统道藏》根据的是各处宫观中保存的元刊残藏，《元玄都宝藏》根据的是金代所刊的《大金玄都宝藏》，金藏根据的是宋代政和年间刻的《大宋天宫宝藏》，可见明刊《道藏》之中，保留着许多源出宋元旧刊的珍贵古籍。

就以吴筠的著作来说，《道藏·太元部》中的《宗元先生文集》三卷，是存世的唯一古本。按权德舆《唐故中岳宗元先生吴尊师集序》称太原王颜“类其遗文为三十编”，《旧唐书》本传称有“文集二十卷，其《玄纲》三篇，《神仙可学论》等，为达识之士所称”。《新唐书·艺文志》集部别集类则著录“道士《吴筠集》十卷”，《郡斋读书后志》和《直斋书录解题》中也只著录十卷本，说明其时已有残缺或省并，故仅有十卷本行世。《唐才子传》吴筠传中说有文集十卷，不知其时是否实有其书？《四库全书》收入《宗元集》三卷，《提要》云：“此本为浙江鲍氏知不足斋所钞，末有跋云：‘收入《道藏》中，世无别本。’”《全唐文》中所收，绝大部分又是从此转录的，可见存世的《宗元集》中的文字，都源出《道藏》。

吴筠的《神仙可学论》等文，是唐代道教的基本文献，对李白和其他学道者影响很大，这些都是研究唐诗时应该注意的重要文字。

按李德裕曾撰《黄冶赋》等文，反对方士炼丹以求长生之术，似与道教的宗旨相违，但他又作有《三圣记》，云是："有唐宝历二年，岁次丙午，八月丙申朔，十五日庚戌，玉清玄都大洞三道弟子、正议大夫、使持节润州诸军事、守润州刺史兼御史大夫充浙西道都团练观察处置等使、上柱国、赞皇县开国男、食邑三百户、赐紫金鱼袋李德裕，上为九庙圣祖，次为七代先灵，下为一切含识，于崇山崇玄都南敬宗老君殿院及造老君、孔子、尹真人像三躯，皆按史籍遗文，庶垂不朽。"这里李德裕自称道号，为老君等造像，为先人求福，可见其信道的诚笃。此文一作《茅山三像记》，欧阳修《集古录跋尾》卷九、欧阳棐《集古录目》（缪荃孙辑本）卷九均有记叙，又《集古录目》并载《崇玄圣祖院记》曰："常州刺史贾悚撰，前陈州参军徐挺古八分书。敬宗即位，诏天下求有道之士，李德裕为浙西观察使，以道士周息元荐于朝，为建此院。敕赐号崇玄圣祖院。碑以宝历二年立，在茅山。"也可看出李德裕的信道之诚。

这些碑铭，元代道士刘大彬所修的《茅山志》卷二三中有记载，记叙更为完整。《茅山志》收在《道藏·洞真部》中。

作为一代政治家，李德裕的主导思想当然是儒学，日僧圆仁《入唐求法巡礼行记》中记载了李德裕曾以正确的态度对待佛徒，笔记小说中也有关于他结交佛徒的记载，但李德裕在出任浙西观察使时，却在道教圣地茅山留下了许多信道的遗迹，并被道士忠实地记录了下来。可见道教的教义对他深有影响。难怪他在自著的《次柳氏旧闻》和韦绚笔录的《戎幕闲谈》等书中一再夸张神异。他的妻称“炼师”，妾称“女真”，也就可以找到合理的解释了。

唐代皇帝以姓李之故，推尊老子李耳为始祖，从而提倡道教。一些姓李的诗人，像李白、李贺、李商隐等，也都攀龙附凤，自以为老子后裔，从而信奉道教。所以研究唐代诗人，也要对道教的文献有所涉猎。

至于说到道士章咒，则是他们宗教仪式中的专用文字，迷信成分太多，文学意味甚少，《全唐诗》中不录，看来是合适的。

下编　唐诗发展历程

李白奇特的文化背景

读李白的诗，想见其为人，总觉得有很多不可解处；若将李白与同时其他诗人相比，甚至与古今其他诗人比较，都觉得有很多不同之处。因此，李白其人始终像谜一样朦胧。

何以如此？人们首先就会想到他的出身。因为李阳冰所作的《李白新墓碑》上说他生于碎叶，地当今吉尔吉斯共和国托克马克附近，而按李白自叙，在他随父迁蜀之时，已有五岁。生长在西域远地，文化背景不同，当然会在他日后的生活和创作中留下印记了。

陈寅恪首先提出李白为胡人，但只是根据其父之行踪做出的推断，对李白的为人和诗歌没有进行过申述。后人颇多附和其说者，但也未见进一步加以论证。有人根据魏颢对李白相貌的印象，所谓“眸子炯然，哆若饿虎”，就以为“有些和古书上所说的什么‘碧眼胡僧’等差不多”，这可是流于求之过深的臆断之词。显然，由此深入探讨李白的文化背景，方向是对的，但还得做些具体的分析。

我觉得李白虽然生长在一个胡化家庭之中，深受西域文明的影响，但本身并不是胡人。因为他在有些地方表示过对胡人并无好评，甚至还有诋斥胡人的言论，提出过讨伐胡人的主张，如果他是一个胡人，那就不大可能会有这样的情绪了。

但李白的家族毕竟长期居住在河西走廊一带，后又远迁西域边陲，一直处在中外文化交流的重要地段，也就必然会受到突厥文化的影响。这在李白的立身行事中有所表现。

李白一家人的名字就很奇特。其父名客，实际上只是一个代号，当系原来的胡化名字不便运用，故以“客”代称。李白，字太白。白于五行方位属西；太白即长庚星，《诗经》上说“东有启明，西有长庚”，长庚亦寓西方之意。李白号青莲，此花出天竺，古亦以为西域之地。他的妹妹叫月圆，儿子小名明月奴，在李白的诗中咏月者亦至多。古时日月对举，日出东方扶桑，月出西方月窟，可见他们一家对象征西方的月亮怀有深厚的感情。他的另一个儿子叫颇黎，则以产于西方的一种水晶石命名。明月奴的大名叫伯禽，有人认为可以转读为begim，突厥语中为“殿下”之意，我则援用《刘宾客嘉话录》中的一段话，以为此乃隐语，盖伯禽名鲤，谐为“李”

字，而古时亦有李产西方之说。

由上可知，李白一家的名字都有寓意，这里寄托着他们对于出身之地的系念。

李白在婚姻问题上与众不同。他在二十多岁出峡后即至安陆入赘于故相许圉师家。我国很早就确立了父家长制的伦理准则，赘婿向来受人歧视，汉代还有“七科谴”的法规，将赘婿归入罪人一类。李白却在《上安州裴长史书》中自称“许相公家见招，妻以孙女”，不以为辱而引以为荣，岂非怪事？

他在天宝年间到梁苑与故相宗楚客家成婚，实际上也是赘婿的身份。这从他安顿子女的问题上可以看出。其时李白的前妻许氏当已去世，故无法再在许府容身，只能把子女寄养到东鲁。假如李白与宗氏属于正常婚配，那他就应该把子女也带到梁苑，让后母宗氏哺养，这是天经地义的事，不可能有其他处理办法，为什么李白只能忍住内心的痛苦，而让年幼的子女在无至亲照料的情况下单独生活？原因当在李白的身份实际上是赘婿，因而无法组织起一个正常的、圆满的家庭。

在男女交往与婚配的问题上，西域地区的各民族，还保存着很多母系氏族社会中遗留下来的风习，妇女在家庭中一直占有重要地位，《史记》与《大唐西域记》等书中都有记载。敦煌遗书《书仪》中也说近代之人多“遂就妇家成礼”，李白情况类同，也是受到突厥文化影响的表现。

李白五岁入蜀，二十多岁出蜀，一直生活在绵州昌隆县。这一地区特殊的人文环境，对他也深有影响。

按照《太平寰宇记》中的记载，昌隆县（宋代名彰明县）的周围有多种民族杂居，俗尚歌舞，尚武勇，喜好享乐，李白自然也会受其影响。这里可举一件具体的事说明南蛮文化对李白的影响。

李白在《上安州裴长史书》中还自述，他曾与蜀中友人吴指南同游于楚，指南死于洞庭之上，李白将他权殡于湖侧，“数年来观，筋肉尚在，白雪泣持刃，躬身洗削，裹骨徒步”，营葬于鄂城之东。这种葬法叫作剔骨葬，又称二次捡骨葬，这是南蛮的葬法，此事可以作为李白接受南蛮文化的显证。

这种南方民族的葬仪，自《墨子·节葬》篇起，历代都有记叙。华夏文化注重孝道，身体发肤尚且不敢毁伤，怎能把人用刀刮去肉后才下葬呢？

《新唐书》中有吴保安传，叙吴保安与郭仲翔间的患难相扶事。此事原出牛肃《纪闻》，内叙郭仲翔至眉州彭山县以二次捡骨葬法归葬吴保安，发生的时间和地点，与李白的年代和居处紧接，可证李白葬友确是采取了南蛮葬法。

这一事件，可以促使我们思考，有关李白作《清平调》《菩萨蛮》以及《醉草吓蛮书》等传说，都应有其可信之处。

羌族为西北地区历史最为悠久的游牧民族之一，唐时即有一支聚居在李白故居昌隆县西边的汶山一带，南下后又聚居于峨眉山周围，往南至云南的一支，即南诏的乌蛮。李白出蜀之时，先沿西边南下，游峨眉山，然后去三峡，往浙东漫游。各处的活动，都有羌族文化的踪影相随。

李白作《登峨眉山》诗，中云："偶逢骑羊子，携手凌白日。"根据汉代传为刘向所撰的《列仙传》上记载，知骑羊子为葛由，羌族神仙。羌族以羊为图腾，又崇拜白色，李白笔下，尽多白色之物，如白龟、白鹿、白鹦鹉、白蝙蝠等等，不一而足。而牧羊故事亦常见于笔下。当他四处漂流，想起儿子时，就对友人诉说："君行既识伯禽子，应驾小车骑白羊。"

李白的先世向来居住于河西走廊西端。晋代五胡乱起，河西地区的一些地方政权乃据地自守，而又辗转通过蜀地与位处江南的东晋、南朝联系，表示尊奉正统王朝，其时江南的神仙道教也早已通过蜀地而传至西凉。李白九世祖李暠，除了效忠晋室外，还一直景仰蜀地的地区文化。李白之父携家东下，定居于绵州，可由此得到解释。李白出蜀之后首先想到的是"自爱名山入剡中”，因为其地多名山，如天姥、赤城、四明等山，都是神仙出没之处。其中金华一地，尤堪注意。因为金华山上的神仙赤松子，亦即皇初平，又称金华牧羊儿，也就是目下仍然广泛传播于南部地方的黄大仙，凡此均与葛由同出一脉。皇甫平叱白石成羊的故事，还记录在葛洪《神仙传》中，传播至广。赤松子入火自化之说，亦与羌族有关，因为羌族实施火葬，故有此说，李白乃又称之为“紫烟客”。

上述种种，足以说明李白深受突厥文化、南蛮文化与羌族文化等多种文化的影响，因此我将李白其人称作“多元文化的结晶”。他的作风与癖好也颇与同时其他诗人不同，如逞强杀人，浪游任侠，喜饮葡萄酒，热爱音乐歌舞等等，都与这种特殊文化背景有关。

李白在有关民族战事的一些篇章中，也反映出了与当时文士截然不同的情绪。在他一生中，唐王朝与边疆民族发生的重大冲突，有石堡城之役与南诏之役。汉族文人受尊王攘夷观念的支配，往往不分青红皂白，同仇敌忾，这时便丑诋异族，昌言讨伐，李白却持相反的态度，反对这类战争。他喜游侠而不愿从军，也不去边塞谋求发展，只能从他与边疆民族有着千丝万缕的联系这一特殊的背景中寻求解释。

从李白的学习问题上也可看出他与中原地区文士的不同之

处。他在介绍幼年所学内容时说：“五岁学六甲，十岁观百家，轩辕以来，颇得闻矣。”童子八岁学六甲，是汉魏时期的学制，唐时已无这种规定。根据李白的自述，他们一家原为西凉李暠之后，李白之父首以六甲授子，正是保留着西凉一地所传承的汉魏六朝的传统。李白在文学上重“复古道”，喜乐府古诗而不重近体，应当与这一文化背景有关。

自从唐初颁行《五经正义》，科举试中有帖经的考核，文士涉学之初必须在正经正史上下功夫，李白学的却是百家杂学。因此，他既不去应朝廷用以牢笼士子的科举试，也不太重视儒家学术中的历史哲学与伦常观念。《远别离》中说：“尧幽囚，舜野死。”把古代的禅让之说视作与后世的篡夺之事无异，说明他并不重视儒家的一些政治理想。

在李白的思想中，百家并陈，无所轩轾，不受儒家思想的束缚。他以先秦时期的一些奇能异材之士为钦慕对象，追求奇士与高士的完美结合，显得自尊、自信，并对自已的能力感到自负。因此，他在诗歌中高扬独立不屈之人格，呈现出后世难以再见的自由、奔放与活跃。

这与他的生长地区也有关系。蜀地因交通不便之故，文化积淀的现象比较严重。此地为道教的发源地，故李白自年轻时起即向往神仙。其时赵蕤著《长短经》，宣扬纵横家和法家思想，李白又从赵蕤游，这对他一生也深有影响。

实际说来，中国自战国之后，已无产生纵横家的社会条件。天下大乱之时，会有一些喜欢纵横的人出现，但赵、李二人身处开元盛世，却还在研究纵横之术，也就只能停留在纸上谈兵的水平上。

李白政治上的最大失败，是从永王璘闹分裂而遭严惩。在这事件中，举国知名的名士中只有李白一人追随他，其他人则从一开始就看出了李璘的必败之势。李璘是由肃宗养大的，这时想与已经登基的兄长争地盘，闹独立，违背君臣大义，必然在道义上陷于破产。李白思想中没有这类伦理观念，而又以纵横之术自许，一心想“立抵卿相”，仓促下山，终于在政治斗争中陷于逆境。

李白在创作上的成功，在政治上的失败，都与他出身的家庭、所处的地域与所接受的教育等方面有关。一句话，这些都可在他独特的文化背景中寻找答案。

［说明］20世纪90年代，我就李白的奇异之处，结合他独特的文化背景，接连写了十篇论文，后经集合，编成《诗仙李白之谜》一书，于1996年交台湾商务印书馆出版。2000年纳入《周勋初文集》第四册，由江苏古籍出版社又重印了一

次。1997年，我为纪念友人美籍唐诗研究专家李珍华先生逝世四周年，赴他所任职的学校美国密歇根州立大学讲演，2003年，又精简提炼，改写成《李白奇特的文化背景》一文，发表在卢伟编著的《李珍华纪念集》中，北京大学出版社2003年10月出版。读者如欲详细了解我的论证过程，可参阅下列文字：

1.《李白族系之争的时代背景》，载南京大学古典文献研究所《古典文献研究》总第5辑，江苏古籍出版社2002年4月。

2.《李白及其家人名字寓意之推断》，载《中国李白研究》1990年上集，江苏古籍出版社1990年9月。

3.《李白两次就婚相府所铸成的家庭悲剧》，载《文学遗产》1994年第6期。

4.《李白剔骨葬友的文化背景之考察》，载《中国文化》第8辑，1993年6月。

5.《李白与羌族文化》，载《中华文史论丛》2006年第1期。

6.《李白的晋代情结》，载《中国社会科学院文学研究所学刊2007》，中国社会科学出版社2007年12月。

7.《论李白对唐王朝与边疆民族战事的态度》，载《文学遗产》1993年6月。

8.《李白在诸王分镇问题上遭致失败的内在原因》，载《文学研究》第5辑，南京大学出版社1993年4月。

杜甫身后的求全之毁和不虞之誉

金无足赤，人无完人，杜甫也不例外。但他号称“诗圣”，树大招风，人们对他的每一项活动细细考核，结果却发现了许多缺点，有的批评者更是苛刻地做出了“求全”之毁。我无意于替杜甫辩护，但总觉得批评古人也应当和批评今人一样，不能吹毛求疵。孟子主张“知人论世”，确是文学批评上的重要方法。评价杜甫的创作活动，也应当把它置于当时的历史条件下加以考察。

杜甫于天宝四载起，至天宝十三载止，旅居长安。这时他仕途蹇碍，生活上产生了严重的困难，因此急于求得旁人援引，取得一官半职，解决燃眉之急。这在唐代来说，本来是不成什么问题的。因为封建社会中的文人，不论是为了解决生活问题，或是为了实现自己的政治抱负，首先就要求得入仕。而在当时来说，不论是应科举试，还是争取得到征辟的机会，都要有显贵名流出面推荐。因此，文人奔走于势要者之门，恳求荐举，也是当时的通习，不必苛求于一人。只是杜甫奔走的对象中有些人的情况比较复杂，问题就是由此产生的。

按杜甫这一时期作有五言排律多首，奉赠一些达官贵人。所以采用五言排律，则是为了这种诗体最能符合写作上的要求。五排篇幅较大，讲求用事和声偶，铺陈排比，整饬庄重，容易烘托对方的身份，显示自己的功力。它既便于陈情述德，又便于顿挫反跌，抒写自己的衷肠。因此，唐代士人大都写作这种诗歌奉赠自己的恳求对象。

杜甫在长安时期所作的这类作品有：

《赠特进汝阳王二十韵》

《奉寄河南韦尹丈人》《赠韦左丞丈济》《奉赠韦左丞丈二十二韵》（古诗）

《赠翰林张四学士垍》《奉赠太常张卿垍二十韵》

《奉留赠集贤院崔国辅于休烈二学士》

《敬赠郑谏议十韵》

《奉赠鲜于京兆二十韵》

《投赠哥舒开府翰二十韵》

《上韦左相二十韵》

上举八人，郑谏议情况不明，汝阳王琎、韦见素、崔国辅、于休烈四人似乎没有什么显著的劣迹，而其余的韦济、张垍、鲜于仲通、哥舒翰四人，论者以为不是大成问题，就是劣迹昭著，杜甫向这样的人求情，岂不是不择对象，那他自己的品格，不是应该重行研究了吗？

这种责难，自宋代起即已有人提出，到了郭沫若著《李白与杜甫》一书时，更是做了系统的论证和严格的批判。[1]这里不乏值得注意的新鲜论点，但就此还可进一步做些分析。韦济等四人的情况，史书和各家诗文中有记载，可以据此进行一些考察，看看这些人在杜甫献诗之时究竟处在怎样的一种状态。下面分别一一叙述。

韦济

韦济是武后时宰相韦思谦的孙子，武后、中宗时宰相韦嗣立的儿子，武后时宰相韦承庆的侄子，新、旧《唐书》附《韦思谦传》。这是一个世称小逍遥房的显贵家庭，代奉儒术，所以杜甫在《赠韦左丞丈济》中说："左辖频虚位，今年得旧

① 郭沫若：《李白与杜甫》，人民文学出版社1971年出版。其中对杜甫投诗韦济等人所做的分析，集中发表在《杜甫的功名欲望》一章中。

儒。相门韦氏在，经术汉臣须。”韦济还以文学著称，《旧唐书》本传上说他“早以词翰闻。……制《先德诗》四章，述祖、父之行，辞致高雅”，所以杜甫《奉寄河南韦尹丈人》中说：“鼎食分门户，词场继国风。”这两首诗中的颂词，与史书上的记载没有什么出入。

杜甫为杜审言之孙。杜审言于武后时累官著作佐郎、修文馆直学士等职，和韦济上代同时在朝，所以杜甫献诗时尊称为“丈”，表示杜、韦两家乃世交。《奉寄河南韦尹丈人》诗曰：“有客传河尹，逢人问孔融。”也就点明了这层因缘。看来韦济首先顾念到这种关系，杜诗原注：“甫故庐在偃师，承韦公频有访问，故有下句。”这可不是杜甫首先攀龙附凤迎合上去的。二人一直有文字往还，浦起龙《读杜心解》释《奉寄河南韦尹丈人》诗题曰：“前后俱在感其垂问上见意。中段自述近况，颂韦处只两三句耳。故题曰‘奉寄’，盖答体，非赠体也。”这种分析完全符合实际。双方情谊如此，那么杜甫在遭到困难时向韦济求援，又有什么值得责备的呢？

论者以为韦济历史上有一件丑恶的事，那就是他把道士张果荐给玄宗。《资治通鉴》开元二十二年二月，“方士张果自言有神仙术，狂人云尧时为侍中，于今数千岁；多往来恒山中，则天以来，屡征不至。恒州刺史韦济荐之，上遣中书舍人徐峤赍玺书迎之。”此事新、旧《唐书·张果传》系于开元二十一年，二者都说韦济“以状奉闻”，这在当时恐怕也很难算是什么见不得人的事，因为封建帝王大都喜欢神仙方术，玄宗更是热衷于此，作为地方长官的韦济，自当像他前任的那些地方长官一样，将管辖内的著名人物奏闻上去。韦济本人当然也有迷信思想，陈思《宝刻丛编》卷六引《诸道石刻录》：“唐白鹿泉神君祠碑，唐韦济撰，裴抗分书，开元二十四年三月立，在获鹿。”[①]可见韦济在恒州刺史任上时确有宣扬神仙道化之事。只是纵观李唐一代，当时的文人多半有这种作风，杜甫也有迷信仙术之事，而在这方面表现最为突出的，自然要以李白为最了。他不但到处寻仙访道，躬受《道箓》，与玄宗身边的著名道士司马承祯、吴筠等人交往密切，而且还送夫人宗氏上庐山去和宰臣李林甫之女腾空子作伴，谋求白日飞升。比较起来，韦济等人的行为又有多少丑恶可言呢？

韦济做地方官时，还颇有美名，《新唐书》本传上说：“济文雅，颇能修饰政事，所至有治称。”荐举张果一事，因为风气如此，大家也就不以为怪，杜甫赠诗不提此事，高适于开元二十二年路过恒州，作有《真定即事奉赠韦使

---

① 韦济：《白鹿泉神君祠碑》，载《唐文拾遗》卷十八。

君二十八韵》，求其援引，乃干谒之作，诗中歌颂韦之政绩及历官，然亦不及张果事，可见高适对此同样不予重视。

张垍

张垍为张说之子，新、旧《唐书》附《张说传》。张垍以能文称，《唐会要》卷五七曰：“（玄宗）始选朝官有词艺学识者入居翰林，供奉敕旨。……制诏书敕，犹或分在集贤。……至开元二十六年，始以翰林供奉改称学士，由是别建学士院，俾掌内制，于是太常少卿张垍、起居舍人刘光谦等首居之，而集贤所掌，于是罢息。”他还是玄宗的女婿，《旧唐书》本传上说：“诏尚宁亲公主，玄宗特深恩宠，许于禁中置内宅，侍为文章，赏赐珍玩，不可胜数。”所以杜诗首曰：“翰林逼华盖，鲸力破沧溟。天上张公子，宫中汉客星。”这样一位娇客，又是文墨中人，杜甫想要求得他的援助，也是很自然的事。李白有《玉真公主别馆苦雨赠卫尉张卿二首》，此人或是张垍。[1]诗中有云：“独酌聊自勉，谁贵经

---

①郁贤皓：《李白与张垍交游新证》，载《李白丛考》，陕西人民出版社1982年版，1983年1月印刷本。

纶才？弹剑谢公子，无鱼良可哀。”这里李白自比寄食于孟尝君门下的冯驩，当然也是要求援助的意思。

杜甫的情况和李白相比还有不同，他和张垍的关系要深切得多，《赠翰林张四学士垍》曰：“倘忆山阳会，悲歌在一听。”用的是嵇康和王戎、向秀交游的故事，所以杨伦《杜诗镜铨》曰：“张必与公有旧。”《奉赠太常张卿垍二十韵》曰：“吹嘘人所羡，腾跃事仍睽。碧海真难涉，青云不可梯。顾深惭锻炼，材小辱提携。”朱鹤龄《杜诗辑注》曰：“垍必尝荐公而不达，故有‘吹嘘’‘提携’等句。”后来杜甫的情况更为窘迫，所以希望张垍继续加以帮助。情况不过如此而已。王应麟《困学纪闻》卷十八《评诗》：“鲜于京兆，仲通也；张太常博士，均、垍也。所美非美然。昌黎之于于頔、李实类此。杜、韩二公晚节所守，如孤松劲柏，学者不必师法其少作也。”这种贬抑杜诗“少作”的论调，虽然意在回护，实际上却是没有留意唐代士子的干谒之风，即贤者亦不免。王氏知人而不论世，也就不能把话说到点子上去。

鲜于仲通

鲜于向，字仲通，以字行。新、旧《唐书》无传，但在他弟弟《李叔明传》中略有介绍。颜真卿撰《中散大夫京兆尹汉阳郡太守赠太子少保鲜于公神道碑铭》《鲜于氏离堆记》等文，对他的历史做了详细的记录。

鲜于仲通的情况比较复杂。在他一生行事中，最为后人诟病的，是与杨国忠的关系和征南诏失败二事。

鲜于氏原是起于北方的少数民族——高车族。[①]鲜于兄弟的上代，因仕宦定居于阆州新政。这一家族虽已进入中原多年，但仍保持着原来的粗犷豪侠之风。颜真卿在鲜于仲通的神道碑中说：“匡赞生士简、士迪，并早孤，为叔父隆州刺史匡绍所育，因家于新政。士简、士迪皆魁岸英伟，以财雄巴蜀，招徕宾客，名动当时。郡中惮之，呼为‘北虏’。士简生令徵，公之父也。倜傥豪杰，多奇画，尝倾万金之产，周济天下士大夫。”到了鲜于仲通兄弟一代，情况有了改变，一方面仍然保持豪侠之风，一方面折节读书，以文士的姿态出现，所以颜文又曰：“公少好侠，以鹰犬射猎自娱，轻财尚气，果于然诺。年二十余，尚未知书，太常切责之。县南有离

---

① 姚薇元《北朝胡姓考》外篇第四“鲜于氏”曰：“定州鲜于氏，出自春秋狄国鲜虞之后，以国为氏，高车族也。”（科学出版社1958年版）《魏书·高车传》曰：“为性粗猛，党类同心。”又曰：“太祖时，分散诸部，唯高车以类粗犷，不任使役，故得别为部落。”

堆山，斗入嘉陵江，形胜峻绝，公乃慷慨发愤，屏弃人事，凿石构室以居焉。励精为学，至以针钩其脸，使不得睡。读书好观大略，颇工文而不好为之。开元二十年，年近四十，举乡贡进士，高第。……方及知命，始擢一第。”而他勤奋向学的结果，后来还有著作传世，“凡著《坤枢》十卷，文集十卷，并为好事者所传”。《新唐书·艺文志》中就记录有《鲜于向集》十卷。

看来这人的作风有些像是战国时的孟尝君，轻财好客，兼收并蓄，门下必然会招来一批鸡鸣狗盗之徒。可巧其中就有杨国忠其人。《新唐书·杨国忠传》曰：“嗜饮博，数丐贷于人，无行检，不为姻族齿。年三十从蜀军，以屯优当迁，节度使张宥恶其人，笞屈之，然卒以优为新都尉。罢去，益困，蜀大豪鲜于仲通颇资给之。……剑南节度使章仇兼琼与宰相李林甫不平，闻杨氏新有宠，思有以结纳之为奥助，使仲通之长安，仲通辞，以国忠见，干貌颀峻，口辩给。兼琼喜，表为推官，使部春贡长安。”说明鲜于仲通起初周济杨国忠时，并无深意，后来也并不热衷于利用这层关系上京城去巴结杨氏。可见后来记在他历史上的这层社会关系，是由偶然性的机缘构成的。

杨国忠得势后，当然要报答他一番。《杨国忠传》又说：“南诏质子阁罗凤亡去，帝欲讨之，国忠荐鲜于仲通为蜀郡长史，率兵六万讨之。战泸川，举军没，独仲通挺身免。时国忠兼兵部侍郎，素德仲通，为匿其败，更叙战功，使白衣领职。”说明这些事件的发生，主谋者是杨国忠。他想表示感恩，却给鲜于仲通的历史写上了不光彩的一页。

鲜于仲通的出任蜀郡大都督府长史兼御史中丞持节充剑南节度副大使，颜真卿撰文的《神道碑》上说是出于郭虚己所荐，与上述说法不同，而新、旧《唐书》的记载则是一致的。但不管怎样，二人的关系总是不同寻常。《资治通鉴》天宝十二载春正月，“京兆尹鲜于仲通讽选人请为国忠刻颂，立于省门，制仲通撰其辞；上为改定数字，仲通以金填之。”司马光撰写这一段文字，乃承上文而来，同书天宝十一载十二月曰：“杨国忠欲收人望，建议：‘文部选人，无问贤不肖，选深者留之，依资据阙注官。’滞淹者翕然称之。国忠凡所施置，皆曲徇人所欲，故颇得众誉。”这段文字，不因杨国忠乃元恶大憝而隐藏当时的历史真相，大约也是为后来的刻颂一事做出解释吧。[①] 前文乃后文伏笔，二者之间具有明显的因

---

① 《资治通鉴》中有关此事的记载，看来主要依据《封氏闻见记》一书。该书卷五《颂德》曰：“……选人等求媚于时，请立碑于尚书省门，以颂圣主得贤臣之意。敕京兆尹鲜于仲通撰文，玄宗亲改定数字，镌毕，以金填改字处。”如此，则此事非由鲜于仲通倡议可知。

果关系。

鲜于仲通早年虽对杨国忠有恩，但他并没有利用这种关系去谋求个人的私利，看来他还保持着固有的豪强之气，不做龌龊小人之态，所以二人后来还是分道扬镳了。颜真卿《鲜于氏离堆记》上说他“卓尔坚忮，毅然抗直”。这样的人，怎能为杨国忠所容？于是“入为司农少卿，遂作京兆尹。以忤杨国忠，贬邵阳郡司马”。《神道碑》上也说：“十一载，拜京兆尹。公威名素重，处理刚严。公初善执事者。后为所忌。十二载，遂贬邵阳郡司马。”于此也可看出，鲜于仲通决不是和杨国忠沆瀣一气的人物。此人于“宝应元年，追赠卫尉卿；广德元年，又赠太子少保”，假如他真是杨国忠一党，那么与杨氏一门有着刻骨仇恨的代宗又为什么要累加追赠？

《新唐书·韩休传》言其长子“浩，万年主簿，坐籍王铁家资有隐入，为尹鲜于仲通所劾，流循州”。此人乃名相之子，族大势盛，党援众多。犯法之后，鲜于仲通也不稍加宽贷，可见他执法的严正。

正因他刚正不阿，在京兆尹任上时治绩颇佳，也就获得了广泛的好评。其弟李叔明后来也担任京兆尹之职，《新唐书》本传上说：“长安歌曰：‘前尹赫赫，具瞻允若；后尹熙熙，具瞻允斯。'"[1]时隔十年左右，长安人还在歌颂他的政绩，也可算是难能可贵的了。

检阅这一时期的文献记载，没有见到什么丑诋鲜于仲通之处。相反，凡是叙及鲜于兄弟的文字，大都持赞颂的态度。颜真卿以高风亮节著称，可以相信，他不会肆意歪曲事实，替一个品格不端的人去涂脂抹粉。《神道碑铭》《离堆记》中再三颂扬，大约总是认为鲜于仲通与杨国忠的交往，没有在节操上带来什么玷污，这里不存在什么品质的问题。于邵《唐剑南东川节度使鲜于公经武颂》[2]、韩云卿《鲜于氏里门碑》[3]等文都对鲜于兄弟倍加赞颂，和颜真卿的看法一致。《新唐书·李叔明传》上还说："始，叔明与仲通俱尹京兆，及兼秩御史中丞，并节制剑南；又与子昇俱兼大夫，蜀人推为盛门。"亦寓颂扬之意。赵明诚《金石录》卷二七《唐京兆尹鲜于仲通碑》曰："鲁公为此碑，称述甚盛，以此知碑志所载，是非褒贬，果不可信。虽鲁公犹尔，况他人乎！"这种意见也不见

---

① 《锦绣万花谷》后集卷十四："李仲通，天宝末为京兆尹，弟叔时继之，长安歌曰：'前尹赫赫，具瞻允若；后尹熙熙，具瞻允斯。'""叔时"自是"叔明"之误。鲜于叔明后改姓"李"，鲜于仲通改姓之事则于史无征。

② 载《全唐文》卷四二三。

③ 载《唐文续拾》卷四。

得中肯。因为《神道碑》上的记叙，或应对方家属所托，行文不无隐讳，但他还作有《离堆记》，文体与碑颂有别，为什么也持同一论调？况且颜真卿与杨国忠在政治上一直持对立的态度，《旧唐书·颜真卿传》曰："杨国忠怒其不附己，出为平原太守。"假如鲜于仲通真是依附杨国忠的死党，那颜真卿怎会予以如此高的评价？

杜甫《奉赠鲜于京兆二十韵》中的颂词，可以和上面的介绍相印证。诗云："骅骝开道路，雕鹗离风尘。侯伯知何算，文章实致身。奋飞超等级，容易失沉沦。脱略磻溪钓，操持郢匠斤。"虽然假象过大，但用文学眼光来看，还应算是用典贴切，并不是阿谀奉承。至于说到落句"有儒愁饿死，早晚报平津"，也要结合写作时间来考虑。注杜诗者大都以为此诗作于天宝十一载，正是杨国忠在选人中收得一些虚誉之时。杜甫穷困潦倒，在长期遭受李林甫的压制之后，这时眼前似乎出现了一线希望，于是想凭借鲜于仲通和杨国忠的关系，谋求入宦，这在当时来说，也没有越出文人遵从的道德规范，而在后人看来，也只能说是一时受了蒙蔽。对于这事，恐怕也不宜责之过深的。

赵翼《瓯北诗话》卷二论杜诗曰："鲜于仲通，则杨国忠之党，并非儒臣，而赠诗云：'有儒愁饿死，早晚报平津。'……可见贫贱时自立之难也。"这差不多是过去的人共同持有的见解。赵氏史学名家，而考索不精，诚属憾事！对照以上的考证，可知此说全不合事实。

至于说到唐代与南诏交恶一事，那情况更是复杂了。好在唐代史书上记载得比较详细，南诏阁罗凤也及时树立《南诏德化碑》记载此事[①]，两相对照，可以看清事实的真相。

对于历史上的这重公案，双方的记载，除了因立场观点的不同而词气有异外，基本事实却是出入不大的。就从《南诏德化碑》上的说法来看，挑起祸端的首恶，是章仇兼琼、李宓、张虔陀等人。鲜于仲通也有责任，当南诏一再向他说明情况，申诉冤屈，乞求和解之时，他却一味采取高压手段，坚持兴兵讨伐。南诏在忍无可忍的情况下出兵反击，才把他打得大败而归。从南诏的眼光来看，鲜于仲通的表现是蛮横无理，而不是什么阴险奸诈，这与他豪强的性格是一致的。不管这事是否出于唐玄宗和杨国忠的指令，作为当事人的鲜于仲通，还是措置不当，给两处人民带来了灾难，造成了严重的历史后果。

这种错误究竟是怎样犯下的呢？看来它与儒家尊王攘夷的正统思想有关。对于儒家的这种传统观念，也应结合不同的历

---

① 《南诏德化碑》，阮福《滇南古金石录》录存，可参看。

史时期，做出具体分析。每当正统王朝遭到外族侵略濒临危亡之时，一些有气节的士人总是在儒家这种思想的指导下，宁死不屈，百折不回，为兴复故国而奋斗，历史上出现过不知多少这类可歌可泣的事迹。这里表现出了中华民族强烈的向心力。可以说，我们的国家绵延几千年而一直能够保持统一和独立，也与这种传统思想有关。但是尊王攘夷思想也有它另一方面的不良影响，那就是鄙视边疆的少数民族，表现出一种天朝上国的傲慢态度。南诏地处边陲，国力不强，而且一直臣服于唐，这时却兴兵反抗，杀掉地方长官，攻掠土地，而且扬言要投奔吐蕃，这在唐王朝的地方大员说来，大约认为非得严惩一下不足以儆效尤，于是两国之间也就一再兵戎相见了。

鲜于仲通已是一个汉化了的兄弟民族的后裔。他生长蜀地，又在剑南长期任职，这里正是兄弟民族杂居之区。鲜于仲通自从参与剑南军事起，攻打过云南蛮、羌、吐蕃等许多兄弟民族，颇施杀伐之威。这里当然也有许多不正义的行动，但颜真卿在为他作《神道碑》时却毫无批判之意，而是尽情褒扬，因为颜真卿也是儒家思想的信徒，他也是遵从“严夷夏之防”的原则而立论的。

天宝时期的文人对眼前发生的这起事件大都认识不清，这或许与不了解事实真相有关，但尊王攘夷的思想却也在兴风作浪，因此刮起了一阵兴兵讨伐的鼓噪。鲜于仲通丧师折兵后，杨国忠命令李宓以更大的规模出兵攻打，高适有《李云南征蛮诗》，内云："圣人赫斯怒，诏伐西南戎。肃穆庙堂上，深沉节制雄。遂令感激士，得建非常功。料死不料敌，顾恩宁顾终？"储光羲有《同诸公送李云南伐蛮》诗，内云："昆明滨滇池，蠢尔敢逆常。天星耀钛锁，吊彼西南方。……邦人颂灵旗，侧听何洋洋。京观在七德，休哉我神皇。"可见当时的文人差不多都是带着同仇敌忾的心情看待这起事件的。[1]储诗标题而称"同诸公"，可见一起赋诗的还有不少人。鲜于仲通蛮干一场，看来就是在这一种弥漫朝野的共通心理基础上发动的。

后来的史家总结历史经验时，都说"仲通褊急寡谋"（《旧唐书·南蛮·南诏蛮传上》），"卞忿少方略"（《新唐书·南蛮·南诏传上》），"仲通性褊急，失蛮夷心"（《资治通鉴》天宝九载）。这可不是在批评他不该镇压兄弟民族，而是责怪他缺乏手腕，没有把事情处理好。钱谦益《杜诗笺注》曰："按公投赠诗与鲁公《神道碑》，叙次略

---

① 当时只有李白保持着清醒的头脑，在《古诗》其三十四"羽檄如流星"一诗中做了尖锐的揭露和严肃的批判。或许他生长蜀地，又曾长期旅居楚地，所以能够了解到一些事实真相；也有可能是他的尊王攘夷思想不像上述诸人强烈，所以观察问题比较客观。

同。鲁公《神道碑》记节度剑南，拔吐蕃摩弥城，而不载南诏之役；公诗美其文章义激，而不及其武略：古人不轻谀人若此。”看来颜、杜二人并不是为了不赞成征南诏之举而略去此事不谈的，大约只是为了鲜于仲通出师不利，全军覆没，故而为之藏拙。杜甫的态度，和当时其他文人也不可能有什么根本上的不同。

但征南诏之举毕竟是唐王朝的创伤剧痛。过此不久，安史之乱即起，从此兵连祸结，人民也就辗转于沟壑。后人痛定思痛，对此有了新的认识。刘湾《云南曲》曰：“百蛮乱南方，群盗如猬起。骚然疲中原，征战从此始。”白居易《新丰折臂翁》曰：“翁言贯属新丰县，生逢圣代无征战。惯听梨园歌管声，不识旗枪与弓箭。无何天宝大征兵，户有三丁点一丁，点得驱将何处去，五月万里云南行。”从此以后，鲜于仲通的征云南之行也就不断为人诟病了。

哥舒翰

哥舒翰是开元、天宝时期的著名战将，事迹详见新、旧《唐书》本传。其他散见于唐人集子中的记载也很多。

唐德宗时，诏拜哥舒翰长子哥舒曜为东都、汝州行营节度使，将凤翔、邠宁、泾原、奉天、好畤兵万人讨李希烈。《新唐书》本传上说：“帝召见，问曰：‘卿治兵孰与父贤？’对曰：‘先臣，安敢比？……’帝曰：‘尔父在开元时，朝廷无西忧；今朕得卿，亦不东虑。’”可知其时朝廷倚托之重。

唐玄宗时，中央王朝的边患主要在东北和西边。东北的少数民族，有契丹和奚等，他们力量都不强，对唐王朝并不构成什么威胁。唐王朝派重兵驻守，主要是起威慑的作用。特别是到安禄山出任幽州节度副大使后，更是使用诡诈手段，一面凶狠地肆行杀戮，一面施行恩惠，拉拢部落中的豪强，培植地方势力。西边的兄弟民族，有回纥、吐蕃等；其中吐蕃与中央王朝的征战，时间长，规模大，确是构成了很大的威胁。哥舒翰能稳住西边的局面，对中央王朝来说，就是做出了卓越的贡献。

唐中央王朝与吐蕃的战争，谁是谁非，如何评价，确实是一言难尽。二者之间的关系错综复杂，但即使是在兵刃相见之时，也以甥舅相称，并不否定这种亲密的血缘关系。后人考察唐代各民族之间的矛盾纷争时，应该看到，各方之间的和好关系仍属基本的方面。我们在阅读唐史时，可以指出一点，那就是二者的社会发展阶段是不同的。唐王朝已进入发达的封建社会，即使是在边疆地区，也早已发展起高度繁荣的农业经济。《资治通鉴》天宝十二载曰：“自安远门西尽唐境万二千里，闾阎相望，桑麻翳野，天下称富庶者无如陇右。”有人以为此说原出《开天传信记》，乃是小说家言，夸张过甚，不足置信，但当时这一地区已经得到开发，则是毋庸置疑的。吐蕃所处的社会发展阶段要落后得多，当时正处在发达的奴隶社会阶段，因此富有掠夺性，常是向陇右、河西一带发动进攻，掠取奴隶和粮食，给早已定居下来的农民以巨大的威胁。这时如有人能阻挡住这些来去飘忽的游牧民族的侵袭，当然会大得人心。早期的哥舒翰，就曾起过这样的作用。

《资治通鉴》天宝六载冬十月，哥舒翰已累功至陇右节度副使，“每岁积石军麦熟，吐蕃辄来获之，无能御者，边人谓之‘吐蕃麦庄’。翰先伏兵于其侧，虏至，断其后，夹击之，无一人得返者，自是不敢复来。”《太平广记》卷四九五引《乾膗子》曰：“天宝中，歌舒翰为安西节度，控地数千里，甚著威令，故西鄙人歌之曰：‘北斗七星高，歌舒翰夜带刀。吐蕃总杀尽，更筑两重濠。’”《南部新书》卷庚录此，引诗略同，而洪迈《万首唐人绝句》五言卷二十载《西鄙哥舒歌》，后两句作“至今窥牧马，不敢过临洮。”也是歌颂他保卫边疆有功的。[①]

① 《全唐诗》卷七八四录此诗，仅收《万首唐人绝句》中的那一首。

但哥舒翰在与吐蕃进行的一系列的战争中，也有一件经常为人诟病的事，那就是天宝八载六月，哥舒翰以六万三千人之众，攻拔吐蕃石堡城，结果死去士卒数万。而在天宝六载时，唐玄宗也曾让王忠嗣去攻打此城，王忠嗣认为“所得不如所亡”，宁愿自己得罪，不愿牺牲士卒，故不奉命而行；将军董延光自请将兵去攻打，唐玄宗让王忠嗣分兵支持，他也不出力。两相比较，王忠嗣的表现自然要好得多。史家于此大书特书，是理所当然的。

但我们能不能要求每一个人都能像王忠嗣那样决断呢？提出高标准来要求人，从而责难他人达不到这种标准，恐怕也不能算是实事求是的做法。就在王忠嗣抗命不行之时，大家都为他担心，《资治通鉴》上说：“李光弼言于忠嗣曰：‘大夫以爱士卒之故，不欲成延光之功，虽迫于制书，实夺其谋也。何以知之？今以数万众授之而不立重赏，士卒安肯为之尽力乎！然此天子意也，彼无功，必归罪于大夫。大夫军府充牣，何爱数万段帛不以杜其谗口乎！’忠嗣曰：‘今以数万之众争一城，得之未足以制敌，不得亦无害于国，故忠嗣不欲为之。忠嗣今受责天子，不过以金吾、羽林一将军归宿卫，其次不过黔中上佐，忠嗣岂以数万人之命易一官乎？李将军，子诚爱我矣，然吾志决矣，子勿复言。’光弼曰：'向者恐为大夫之累，故不敢不言；今大夫能行古人之事，非光弼所及也。'遂趋出。"这一番对话，写得有声有色，言为心声，司马光确实是动了感情的。但从中可见，像王忠嗣这样的作为，唐代名将李光弼也难以做到，所谓"大夫能行古人之事"，是说今人不可能行此事。后人要求哥舒翰也要有同样的表现，恐怕陈义过高。而且攻打石堡城一事，出于唐玄宗的指令，并非哥舒翰的主谋，后人议及此事，也不必过多地归罪于执行者而置决策者于一边而不顾。

当时的文人对于这一事件，恐怕也很难做出正确的估量。李白有《送白利从金吾董将军西征》一诗，首云："西羌延国讨，白起佐军威。"这位金吾董将军，可能就是自请攻打石堡城的董延光，因为开元、天宝之时征讨吐蕃的将领，特别在"将军"之中，少有姓董的人。有人举李白《答王十二寒夜独酌有怀》诗中"君不能学哥舒横行青海夜带刀，西屠石堡取紫袍"之句，以为见解高于杜甫，但李白此诗不知作于何时，如果作于人们饱受战乱创伤之后，也就不足为奇了。况且此诗是否李白所作还要进一步考订，萧士赟、朱谏、胡震亨等人都以为是五代人的伪作，因此根据这诗而立论，说服力也不够。

为救王忠嗣，哥舒翰还有出色的表现，《资治通鉴》上记载道："哥舒翰之入朝也，或劝多赍金帛以救忠嗣。翰曰：'若直道尚存，王公必不冤死；如其将丧，多赂何为！'遂单囊而行。三司奏忠嗣罪当死。翰始遇知于上，力陈忠嗣之冤，且请以己官爵赎忠嗣罪；上起，入禁中，翰叩头随之，言与泪俱。上感寤。己亥，贬忠嗣汉阳太守。"此事曾经博得人们广泛的好评，《旧唐书》本传上说："朝廷义而壮之。"

此人虽然以勇武著称，但也并非一介武夫。《旧唐书》本传上说："翰好读《左氏春秋传》及《汉书》，疏财重气，士多归之。"[①] 在他的幕府中，集中了一大批著名的文士和武人。杜甫《投赠哥舒开府翰二十韵》曰："军事留孙楚，行间识吕蒙。"钱谦益《杜诗笺注》曰："翰奏严挺之之子武为节度判官，河东吕諲为度支判官，前封丘尉高适为掌书记，又萧昕亦为翰掌书记。""翰为其部将论功，陇右十将皆加封，若王思礼为翰押衙，鲁炅为别将，郭英乂亦策名河陇间；又是年

---

① 古代武人每以好读《左氏春秋传》为儒雅的表现。《三国志·蜀书·关羽传》裴松之注引《江表传》曰："羽好读《左氏传》，讽诵略皆上口。"《世说新语·术解》"王武子善解马性"条刘孝标注引《语林》曰："武帝问杜预：'卿有何癖？'对曰：'臣有《左传》癖。'"又《世说新语·豪爽》亦曰："王大将军自目：'高朗疏率，学通《左氏》。'"王大将军即王敦。

奏安邑曲环为别将，皆拔之行间也。”[①]可见其门下之多士。

唐代文人参加军队谋取进身，也是一条正常的途径。哥舒翰声名煊赫，自己也喜读经史，且喜接引文士，那当然会产生强烈的吸引力。著名的边塞诗人高适就是从担任哥舒翰的掌书记起家而飞黄腾达的。他前后所作颂词甚多，多使主充满了知己之感。从现存的文献看，储光羲有《哥舒大夫颂德》诗，李白有《述德兼陈情上哥舒大夫》诗，都有求其援引之意，可见当时他在文人的心目中确是颇有地位的。

论者以为哥舒翰这时已经劣迹昭彰，李白识见高明，不会与之发生关系，于是重申前人之说，以为李白的述德陈情之诗乃他人伪作。按朱谏《李诗辨疑》卷上云：“述德则有之，无有陈情之辞，疑当有阙文也。”瞿蜕园、朱金城《李白集校注》驳之曰：“不知投赠即是陈情，此疑所不必疑。”可谓片言中的。况且此诗早已见于宋代类书《锦绣万花谷》后集卷十四，署名正作李白《赠哥舒翰》，也可证明这诗的著作权仍当属于李白。李白曾向哥舒翰陈情求援引。

① 钱谦益释“十将”有误。《资治通鉴》天宝十三载“哥舒翰亦为其部将论功，敕以十将、特进、火拔州都督、燕山郡王火拔归仁为骠骑大将军”，胡三省注：“十将，亦唐中世以来军中将领之职名。”又钱谦益以这些人物注杜诗，年代不甚切合，本文引此，仅用来说明哥舒翰幕府之多材。

如上所云，可证前期的哥舒翰还尚无恶称，杜甫向之陈情，没有什么值得非议之处。

当然，哥舒翰并不是什么完人，他治军严酷，确实也有好战的一面，而当他立有军功之后，也就逐渐显露傲狠之状。《太平广记》卷二二四引《戎幕闲谈》曰："（颜鲁公）迁监察御史，因押班，中有喧哗无度者。命吏录奏次，即哥舒翰也。翰有新破石堡城之功，因泣诉玄宗，玄宗坐鲁公轻侮功臣，贬蒲州司仓。"由此也可看到颜真卿的刚正不阿。他在维护封建伦常方面是决不妥协的。

总结以上所言，可知杜甫投诗韦济、张垍、鲜于仲通、哥舒翰等人，在当时来说，也是文人的通习，没有什么值得特别加以指责的地方。

后人所以在这问题上有所指责，或许还与张垍、哥舒翰的晚节不保有关。这两人后来都投降了安禄山，名节有亏，杜甫向这样的人唱过颂歌，岂不也是一大污点？但是这种事情也要具体分析。白居易《放言五首》之三曰："周公恐惧流言日，王莽谦恭未篡时。向使当时身便死，一生真伪有谁知？"人们于此慨乎言之，也是为了舆论的难以凭信，人物变化的难以预测。杜甫囿于见闻，只是仰慕这些人的时誉，有所乞求，他可能与这些达官贵人有所接触，也有可能只是辗转地找到一些联系得上的关系，这样他又怎能逆料后来的发展？如果我们不顾历史条件而对杜甫提出过高的要求，这种评价人物的方法，不论施之于古人，或是施之于今人，都会产生意想不到的结果。

但是杜甫在遭受种种求全之毁的同时，还曾遇到一些“不虞”之誉；其中之一，就是他曾赠诗苏涣，而苏涣曾被称作“造反”诗人，杜甫能够赏识“造反”诗人，岂不也是有眼力的表现。

苏涣

我们不必对“造反”一词多加考辨。这里无非是说，苏涣曾经帮助岭南裨将哥舒晃杀掉岭南节度使、广州刺史吕崇贲，率领少数民族一起起义。“造反”只是“起义”的同义词。

这次事件，到底能不能称为起义？还是可以商榷的。

《新唐书·路嗣恭传》上说：“大历八年，岭南将哥舒晃杀节度使吕崇贲，五岭大扰。诏嗣恭兼岭南节度使，封冀国公。嗣恭募勇敢士八千人，以流人孟瑶、敬冕为才，擢任之。使瑶督大军当其冲，冕率轻兵由间道出不意，遂斩晃及支党万余，筑尸为京观。俚洞魁宿为恶者，皆族夷之。”这里所提到的，实际上是两件事情，路嗣恭先是讨平了哥舒晃之乱，文字至“筑尸为京观”作一小结；后又续叙族夷“俚洞魁宿为恶者”，这是与前事不同的又一件事。这里并不是说这些“俚洞魁宿”是随哥舒晃一起起义的少数民族领袖。《资治通鉴》大历十年叙此，与新、旧《唐书·路嗣恭传》记载同，没有说哥舒晃的队伍中还有什么少数民族参加。权德舆作《伊公神道碑》[①]，同样没有提到哥舒晃的军队中有什么少数民族参加。

按哥舒晃乃哥舒翰次子，林宝《元和姓纂》卷五：“哥舒翰，天宝右仆射平章事西平王东讨先锋兵马副元帅，生曜、晃、晔。”岑仲勉《元和姓纂四校记》依《通志》于“晃”下补“皓”一名。据此可知，哥舒晃是突骑施哥舒部落之裔。很难设想，哥舒翰的儿子会成为率领少数民族和商人、工人、农民一起起义的领袖，这倒不是说哥舒晃出身于唐王朝的高级将领家庭，所以不能领导起义，而是史书上找不到哥舒晃改变身份的任何一点史料线索。而且突骑施是一个西北的少数民族，而所谓南蛮的“俚洞魁宿”则是指当地少数民族的首

① 此文全称《唐故光禄大夫检校尚书右仆射兼右卫将军南充郡王赠太子少保伊公神道碑铭》，载《权载之文集》卷十七。

领，古时民族界线很严，试问：南方的少数民族怎么会拥戴一个西北少数民族的成员去做他们的领袖呢？按诸实际，哥舒晃的这次起兵恐怕很难说是一场起义。

苏涣其人，确实有一些不平常的作风；其诗，确实有一些不平常的内容。但若根据他参与哥舒晃岭南造反一事就荣膺“人民诗人”的称号，恐怕还是需要再斟酌的。

杜甫在大历四年作《苏大侍御访江浦赋八韵纪异》《暮秋枉裴道州手札率尔遣兴寄递呈苏涣侍御》二诗，对苏涣颇有美词，本来也是一件被人视为怪异的事。查慎行《初白庵诗评》曰：“子美于人，岂轻易许可？乃考涣之生平，曾煽动岭表，与哥舒晃作乱，殊不可解。”这里确实有一些问题需要深入研究。但若说到杜甫晚年结识了一位率领少数民族起义的诗人，则只能说是一种不虞之誉。

（原载《草堂》1985 年第 2 期）

元和文坛的新风貌

一

李肇《国史补》卷下《叙时文所尚》曰：

> 元和已后，为文笔则学奇诡于韩愈，学苦涩于樊宗师。歌行则学流荡于张籍。诗章则学矫激于孟郊，学浅切于白居易，学淫靡于元稹，俱名为“元和体”。大抵天宝之风尚党，大历之风尚浮，贞元之风尚荡，元和之风尚怪也。

这对元和时期文坛上的新风貌来说，是一个高度的概括。如把上述各家陈述的顺序略作调整，则可排列如下：

文笔：韩愈（奇诡）、樊宗师（苦涩）

歌行：张籍（流荡）

诗章：孟郊（矫激）、白居易（浅切）、元稹（淫靡）

白居易、元稹也能文，但并不以此著称，孟郊的文章更是从未有人称述过。这三个人确是以诗章著闻于世的。但孟诗“矫激”，不同于白诗的“浅切”和元诗的“淫靡”；元、白二人关系深切，诗风也相近。说元诗“淫靡”，主要是指内容而言的；说白诗“浅切”，主要是指形式而言的。元稹《叙事寄乐天书》中曾将自己的创作分为十体，其中说道：“……又有以干教化者，近世妇人，晕淡眉目，绾约头鬓，衣服修广之度及匹配色泽尤剧怪艳，因为艳诗百余首，词有今古，又两体。”可见十体之中，五、七言今体艳诗和五、七言古体艳诗发生的影响尤为巨大，所以《国史补》中标举“淫靡”二字，用以概括元诗的特点。只是创作艳诗者可不限元氏一人，白居易也擅长此体，而且元白二人常是一起联翩创作，元稹《为乐天自勘诗集……》诗题内云：“因思顷年城南醉归，马上递唱艳曲，十余里不绝。”白居易《与元九书》曰：“……如今年春游城南时，与足下马上相戏，因各诵新艳小律，不杂他篇，自皇子陂归昭国里，迭吟递唱，不绝声者二十里余。”可见白诗也可加上“淫靡”的评语。杜牧在《李戡墓志铭》中引用李氏之言曰："尝痛自元和已来有元、白诗者，纤艳不逞，非庄士雅人，多为其所破坏。流于民间，疏于屏壁，子父女母，交口教授，淫言媟语，冬寒夏热，入人肌骨，不可除去。"可见李肇之评元白，乃是互文足义，即白浅切而又淫靡，元淫靡而又浅切。

元和之时，元、白诗因浅近之故，易于传播，而艳诗一体，易为社会中下层人物和年轻士人所接受，影响尤大。在《与元九书》中，白居易还说："日者，又闻亲友间说：礼、吏部举选人，多以仆私试赋判传为准的。其余诗句，亦往往在人口中。仆恧然自愧，不之信也。及再来长安，又闻有军使高霞寓者，欲聘娼妓，妓大夸曰：'我诵得白学士《长恨歌》，岂同他妓哉？'由是增价。……又昨过汉南日，适遇主人集众乐，娱他宾，诸妓见仆来，指而相顾曰：'此是《秦中吟》《长恨歌》主耳。'"元稹《白氏长庆集序》则曰："……巴蜀江楚间，洎长安中少年，递相仿效，竞作新词，自谓为'元和体'诗，而乐天《秦中吟》《贺雨》《讽喻》等篇，时人罕能知者。然而二十年间，禁省、观寺、邮堠、墙壁之上无不书，王公妾妇牛童马走之口无不道……自篇章以来，未有如是流传之广者。"足见白诗纤艳之作当日风靡全国的盛况了。白居易自谓诸妓指称他为"《秦中吟》《长恨歌》主"；而元稹则说《秦中吟》诗"时人罕能知者"，看来白氏只是为了标榜自己的讽谏之作，故意纳入这一名字的吧。按诸实际，当时流传最广的恐怕也只能是《长恨歌》等诗章。

韩愈、樊宗师二人均以写作古文著称，但也有诗名。韩愈《南阳樊绍述墓志铭》中介绍樊氏的述作，内有“……表笺状策书序传记纪志说论今文赞铭凡二百九十一篇，道路所遇及器物门里杂铭二百二十，赋十，诗七百一十九”，然后下评语曰：“多矣者，古未尝有也。然而必出于己，不袭蹈前人一言一句，又何其难也。”这里是指樊氏总的创作成就而言的。可见樊氏的诗歌，和他写作的古文同样具有“苦涩”的特点。

所谓“苦涩”，是以味觉上的感受移作品评标准的。樊氏诗文的特点是注重创新，创新的结果过分超越常规，文字佶屈聱牙，难以卒读，这就成了“苦涩”。但由此可见，樊氏诗文的风格和韩氏的诗文的“奇诡”是一类的。孟诗“矫激”，是指态度而言的，“矫激”也者，也是与众不同超越常规，因此孟诗的风格和韩诗的“奇诡”也是一类的。韩、孟、樊三人过往甚密，性情相近，文风一致，这是一个以“奇诡”为特色的文学流派。

张籍歌行的特点是“流荡”。张氏与韩愈一派和元白一派都有很深的关系，他的创作，具有上述两派的某些特点，不论从交往上来看，还是从创作上来看，都可视其某一方面的表现而归入上述两派之中。

李肇随后提出的总结性意见是“元和之风尚怪”，说明上述各家的“奇诡”“苦涩”“矫激”“浅切”“淫靡”“流荡”，都可用一“怪”字概括。奇“怪”是与“正”常相对而言的，可见这时的代表作家，其作品都已不同于被前人视作规范的作品。白居易《余思未尽加为六韵重寄微之》诗云：“诗到元和体变新。”可见白氏也以为这一时期的文坛上确是充满着“新”的气象。李肇以为“尚怪”，白氏以为“变新”，可以认为是异名同实而说来各有偏执之论。

二

据今存史料，韩愈为人很倨傲，韩门弟子中也常见这种作风。他们自视甚高，行为怪诞，甚至不近人情。这在历史上也是常见的现象。每当社会上形成某种强大的传统力量，对人形成压抑之时，那么挺身而出与之抗争的人，往往出现过分自负而具有的反“常”现象。韩愈在意识形态领域内开拓了很多新的战线，反骈排偶，人所共知，而在反对藩镇的政治斗争中，置生死于度外，尤其表现出了他雄大的气魄和百折不回的决心。

他与当代的文人都有交往，但关系最深的几位，则是政治地位和社会声望无法与之相比的孟郊、贾岛等人。韩门弟子中除张籍外，李翱、皇甫湜等人都要比他晚上一辈。

韩愈和白居易于德宗、宪宗两代曾多次同时在朝任职，但交往无多，直到穆宗长庆元年，韩愈作《雨中寄张博士籍侯主簿喜》一诗，白居易随作《和韩侍郎苦雨》诗一首，其后韩、白同游郑家池，白作《同韩侍郎游郑家池吟诗小饮》，今存韩集未见和作。白又赠予《老戒》一篇，韩无酬和。长庆二年，韩愈有《早春与张十八博士籍游杨尚书林亭寄第三阁老兼呈白冯二阁老》诗一首，白氏随作《和韩侍郎题杨舍人林池见寄》一诗酬答。其后韩愈又作《同水部张员外曲江春游寄白二十二舍人》一诗，白氏随作《酬韩侍郎张博士雨后游曲江见寄》作答。自此之后，两人似已中断了交往，白居易还有《久不见韩侍郎戏题四韵以寄之》一诗，韩愈亦未和。不难看出，白居易的态度比较主动，而韩愈的态度可以说是近乎冷淡的。[①]

---

① 《韩愈文集》由门人李汉编订，五代之乱未尝散佚，所以《崇文总目》仍著录为四十卷，柳开在《昌黎集后序》、穆修在《唐柳先生集后序》中也说韩集得其全。白氏文集乃生前手定，且抄写五本，分付庐山东林寺、苏州禅林寺、东都圣善寺、侄龟郎、外孙谈阁童保存。因为韩、白二氏的文集保存得比较完整，以此观察二人酬唱之概况，当接近事实真相。

就在上面提到的最后一首诗中，白居易写道："近来韩阁老，疏我我心知。户大嫌甜酒，才高笑小诗。"这些虽然是"戏"话，但也怕是实情。韩愈有意识地培植后进，开拓门户，故白氏以酒量甚宏为比，从而有"户大"之说。他才高气雄，喜作波涛万顷的古诗，不像白氏那样，喜作摇笔即来的"小律"。大约韩愈确是意识到自己"才高"，看不上白居易那种浅切的作品，所以不来酬答的吧。

和韩愈作风近似的弟子皇甫湜更是肆无忌惮地菲薄白氏。高彦休《阙史》卷上：

皇甫郎中湜气貌刚质，为文古雅，恃才傲物，性复褊而直。为郎时，乘酒使气，忤同列者；及醒，不自适，求分务温洛，时相允之。值伊瀍仍岁歉食，正郎滞曹不迁，省俸甚微，困悴且甚。尝因积雪，门无辙迹，庖突无烟。晋公时保厘洛宅，人有以为言者，由是卑辞厚礼，辟为留守府从事。正郎感激之外，亦比比乖事大之礼，公优容之如不及。先是，公讨淮西日，恩赐巨万，贮于集贤私第。公信浮屠教，且曰："燎原之火，漂杵之诛，其无玉石俱焚者乎？"因尽舍讨叛所得再修福先佛寺。危楼飞阁，琼砌璇题，就有日矣。将致书于秘监白乐天，请为刻珉之词，值正郎在座，忽发怒曰：“近舍某而远征白，信获戾于门下矣。且某之文，方白之作，自谓瑶琴宝瑟，而比之桑间濮上之音也。然何门不可以曳长裾？某自此请长揖而退。”座客旁观，靡不股栗。公婉词敬谢之，且曰：“初不敢以仰烦长者，虑为大手笔见拒。是所愿也，非敢望也。”正郎赪怒稍解，则请斗醖而归。至家，独饮其半，寝酣数刻，呕哕而兴，乘醉挥毫，黄绢立就。又明日，洁本以献。文思古謇，字复怪僻，公寻绎久之，目瞪舌涩不能分其句。读毕叹曰：“木玄虚、郭景纯《江》《海》之流也。”因以宝车名马、缯彩器玩，约千余缗，置书命小将就第酬之。正郎省札，大忿，掷书于地，叱小将曰：“寄谢侍中，何相待之薄也？某之文，非常流之文也。曾与顾况为集序外，未尝造次许人。今者请制此碑，盖受恩深厚尔。其辞约三千余字，每字三匹绢，更减五分钱不得。”（原注：以上实录正郎语，故不文。）小校既恐且怒，跃马而归。公门下之僚属列校，咸扼腕切齿，思脔其肉。公闻之，笑曰：“真命世不羁之才也。”立遣依数酬之。（原注：愚幼年尝数其字，得三千二百五十有四，计送绢九千七百六十有二。[1]后逢寺之老僧曰师约者细为愚说，其数亦同。）自居守府至正郎里第，辇负相属，洛人聚观，比之雍绛泛舟之役。正郎领受之，无愧色。

皇甫湜诋白文为“桑间濮上”，正是“浅切”“淫靡”的另一种说法。他把自己的文章比作“宝琴瑶瑟”，然而“文思古謇，字复怪僻”，裴度尚不能分其句读，正是“苦涩”的“奇诡”之作。而他这种高自期许、贬抑他人的极端做法，也是“矫激”的表现。

白居易的作风与此不同。皇甫湜死后，曾有《哭皇甫郎中》之作，内云：“《涉江》文一首，便可敌公卿。”自注：“持正奇文甚多，《涉江》一章尤著。”雍容大度，和韩氏门下人物的作风相去太远了。

由此可见，韩愈和元、白两大派别中的人物，性格特征与个人修养各不相同，但却都能顺着自己的个性特点，形成某种相应的风格，从而做出其独特的贡献。

---

① “六十”二字原阙，据《唐语林》卷六“皇甫湜气貌刚质”条引文补。

三

元和时期，有一个在文坛上地位特殊而在政治上贡献卓越的人物，这就是上面所提到的，既重视白居易，又尊重皇甫湜的裴度。《新唐书》本传上说：“度退然才中人，而神观迈爽，操守坚正，善占对。既有功，名震四夷。使外国者，其君长必问度年今几，状貌孰似，天子用否？其威誉德业比郭汾阳，而用不用常为天下重轻。事四朝，以全德始终。及殁，天下莫不思其风烈。”可见他在当时的声誉之隆。

一般人都以为他只是一个政治家，在平定藩镇的军事活动上有过重要贡献，而较少注意他还是一个著名的文士。按裴度于贞元五年进士擢第，贞元八年中博学宏词科，贞元十年又应制举贤良方正、能直言极谏科，对策高等，可见他是以文学进身，而且是按唐代士人中最正规的程序进入仕途的。其后历任校书郎、节度府书记、司封员外郎知制诰，又拜中书舍人，这些又都是文学之士最规范的官职。任过这些职务的人自然会被认作文坛上的高手。由于裴度具有这样一种特殊的身份，综其一身，也就没有和文学脱离过关系。他和文坛上的一些著名人物一直保持着密切的联系。早在元和十二年，裴度拜门下侍郎、平章事、彰义军节度、淮西宣慰招讨处置使，统兵征伐吴元济时，便任韩愈为行军司马，而当他晚年徙东都留守时，则治绿野堂，“与白居易、刘禹锡为文章，把酒穷日夜相欢”。方回《瀛奎律髓》卷十七曰：“裴晋公度，累朝元老，于功名之际盛矣，而诗人出其门尤盛。自为之诗，尤不可及。”说的确是实情。

而在当时尖锐复杂的政治斗争中，裴度对于那些遇到不幸的文人，还能凭借他的地位和声望，尽力相助，使他们免遭不测，可以说是充当了文坛保护人的角色。

《新唐书·韩愈传》：“宪宗遣使者往凤翔迎佛骨入禁中，三日，乃送佛祠。王公士人奔走膜呗，至为夷法，灼体肤，委珍贝，腾沓系路。愈闻恶之，乃上表曰：……表入，帝大怒，持示宰相，将抵以死。裴度、崔群曰：‘愈言讦牾，罪之诚宜，然非内怀至忠，安能及此？愿少宽假，以来谏争。’帝曰：‘愈言我奉佛太过，犹可容；至谓东汉奉佛以后，天子咸夭促，言何乖剌邪？愈，人臣，狂妄敢尔，固不可赦。’于是中外骇惧，虽戚里诸贵，亦为愈言，乃贬潮州刺史。”

陈振孙《白文公年谱》元和十年乙未引高彦休《阙

史》曰："公母有心疾，因悍妒得之。及嫠，家苦贫。公与弟不获安居，常索米丐衣于邻郡邑，母昼夜念之，病益甚……常恃二壮婢，厚给衣食，俾扶卫之。一旦，稍怠，毙于坎井。时裴晋公为三省，本厅对客，京兆府申堂状至，四坐惊愕。薛给事存诚曰：'某所居与白邻，闻其母久苦心疾，叫呼往往达于邻里。'坐客意稍释。他日晋公独见夕拜，谓曰：'前时众中之言，可谓存朝廷大体矣。'夕拜正色曰：'言其实也，非大体也。'由是晋公信其事，后除河南尹、刑部侍郎，皆晋公所拟[①]……彦休所记大略如此，闻之东都圣善寺老僧，僧故佛光和尚弟子也。……故删述彦休之语以告来者。"[②]

---

① 陈寅恪《元白诗笺证稿》附论《白乐天之先祖及后嗣》曰："高氏所述关于裴晋公一节，核以年月，不无可疑，盖乐天母以元和六年四月殁，而是时晋公尚未为宰相也。但乐天母以悍妒致心疾发狂自杀一点，则似不能绝无所依据而伪造斯说。"按：此时裴度"为三省"，乃在三省任职之谓，并非定然拜相。顾学颉《白居易世系家族考》据《旧唐书·宪宗纪》考知，元和五年至七年，裴度为司封员外郎（后升郎中）知制诰；元和七年，薛存诚任给事中，《阙史》中都以后日官位指称裴、薛二人。白母死时，居易官京兆府户曹参军，仍充翰林学士，辞官守制，例由京兆府向中书省申状，故裴度得以预闻此事。可见《阙史》中的记载，合乎情理，应当可信。文载《顾学颉文学论集》，中国社会科学出版社 1987 年版。

② 今本《阙史》无此文，恐是后人删去。张耒《右史集》卷四八《题贾长卿读高彦休续白乐天事》曰："高彦休作《唐阙史》，辨白乐天无因母坠井作《赏花》《新井》诗，贾子又从而续辨之。"可证《阙史》原书中确有此文。

《资治通鉴》宪宗元和十年：“王叔文之党坐谪官者，凡十年不量移，执政有怜其才欲渐进之者，悉召至京师，谏官争言其不可，上与武元衡亦恶之，三月乙酉，皆以为远州刺史，官虽进而地益远。永州司马柳宗元为柳州刺史，朗州司马刘禹锡为播州刺史。宗元曰：‘播非人所居，而梦得亲在堂，万无母子俱往理。’欲请于朝，愿以柳易播。会中丞裴度亦为禹锡言，曰：‘禹锡诚有罪，然母老，与其子为死别，良可伤！’上曰：‘为人子尤当自谨，勿贻亲忧，此则禹锡重可责也。’度曰：‘陛下方侍太后，衋禹锡在所宜矜。’上良久，乃曰：‘朕所言，以责为子者耳，然不欲伤其亲心。’退，谓左右曰：‘裴度爱我终切。’明日，禹锡改连州刺史。”

上引资料证明，裴度对韩愈、白居易、刘禹锡这些著名的文人都是爱护的。早期可能与韩愈的关系更为密切。因为两人曾经共事过一段时间，在讨伐割据的藩镇这一项重大的政治问题上，意见完全一致。

出征淮西时，韩愈请先出关趋汴，向时任淮西诸军都统的宣武节度使韩弘进说，让他协力出兵。路过荥阳鸿沟时，作《过鸿沟》诗曰：“龙疲虎困割川原，亿万苍生性命存。谁劝君王回马首，真成一掷赌乾坤。”方成珪《韩集笺正》曰：“《汉书·高帝纪》：‘四年九月，汉王欲西归，以张良、陈平谏，五年冬十月，复追项羽至阳夏南，遂灭楚。’诗所谓‘劝回马首’者，正指良、平之言。时平淮之功，裴晋国实赞之，公亦有谋焉。盖借以美裴，且自喻也。”

胡仔《苕溪渔隐丛话》前集卷十八引《蔡宽夫诗话》曰：“退之《和裴晋公征淮西时过女儿山诗》云：‘旗穿晓日云霞杂，山倚秋空剑戟明。敢请相公平贼后，暂携诸吏上峥嵘。’而晋公之诗无见，唯《白乐天集》载其一联云：‘待平贼垒报天子，莫指仙山示老夫。’方其时意气自信不疑如此。”可见其时二人意气相投如此。

蔡州事平，韩愈随裴度回朝，又有《同李二十八员外从裴相公野宿西界》《桃林夜贺晋公》《晋公破贼回重拜台司以诗示幕中宾客愈奉和》诗，可见其时宾主唱酬之密。

但裴度对韩愈的创作活动却是不满意的。早在其未发迹时，一当韩门弟子李翱寄书征求意见，他就系统地提出了个人的文学见解，对韩愈的创作道路提出了批评。《寄李翱书》曰：

> 观弟近日制作，大旨常以时世之文多偶对俪句，属缀风云，羁束声韵，为文之病甚矣，故以雄词远志，一以矫

之，则是以文字为意也。且文者，圣人假之以达其心，达则已，理穷则已，非故高之、下之、详之、略之也。愚欲去彼取此，则安步而不可及，平居而不可逾，又何必远关经术，然后骋其材力哉？昔人有见小人之违道者，耻与之同形貌，共衣服，遂思倒置眉目，反易冠带以异也，不知其倒之、反之之非也。虽非于小人，亦异于君子矣。故文之异，在气格之高下，思致之浅深，不在其磔裂章句、隳废声韵也。人之异，在风神之清浊，心志之通塞，不在于倒置眉目、反易冠带也。……昌黎韩愈，仆识之旧矣，中心爱之，不觉惊赏。然其人信美材也！近或闻诸侪类云：恃其绝足，往往奔放，不以文立制，而以文为戏。可矣乎，可矣乎？今之作者，不及则已；及之者当大为防焉耳。

这里是对以韩愈为首的古文运动所提出的看法。裴度的批评，主要是两方面的问题：一是韩氏一系的古文违反写作常规，出现了另一方面的弊端。骈文的末流常是不顾内容而只讲求语言文字的形式偶对，“属缀风云，羁束声韵，为文之病甚矣”。韩愈等人以“雄词远志，一以矫之”，这是可取的，但为反对骈文的弊病而走上另一极端，故意“高之、下之、详之、略之”“磔裂章句，隳废声韵”，则仍是“以文字为意”，这样也就难以避免类同之病了。赵翼《瓯北诗话》卷三曰：“盘空硬语，须有精思结撰，若徒挦撦奇字，诘曲其词，务为不可读以骇人耳目，此非真警策也……至如《南山》诗之‘突起莫间篬’‘诋讦陷乾窦’‘仰喜呀不仆’‘堛塞生怐愗’‘达枿壮复奏’；《和郑相樊员外》诗之‘禀生肖剿刚’‘烹斡力健倔’‘龟判错衮黻’‘呀豁疚掊掘’；《征蜀》诗之‘剟肤浃痍疮，败面碎剠刮’‘岩钩踔狙猿，水漉杂鳣蜎；投奅闹碚𬤊，填隍傶傄㑩’‘爇堞熇歊熺，抉门呀拗阘’‘跧梁排郁缩，闯窦猰窋窡’；《陆浑山火》之‘盂池波风肉陵屯’‘电光磩磹赪目暖’。此等词句，徒聱牙轖舌，而实无意义，未免英雄欺人耳。”韩诗中出现的这类问题，在古文写作中也有反映，裴度的意见恐怕也是有见于此而发的吧。二是韩愈思想“往往奔放”“以文为戏”，突破了儒家确立的文学规范。儒家主张温柔敦厚，韩愈的《杂说》等文，却时时杂以嘲戏，这是违反儒家旨意的地方。儒家向来视小说为小道，而韩愈却写作《毛颖传》等文，甚至在《试大理评事王君墓志铭》中也要插入一个诡谲的娶妇故事，这里他以古文大师的身份而与新兴“浮薄”的传奇作者相呼应，也是引起人们非议的地方。韩门弟子之一，与元、白关系深切的张籍就曾多次上书规谏，《上韩昌黎书》曰：“执事聪明，文章与孟子、扬雄相若，盍为一书以兴存圣人之道，使时之人后之人，知其去绝异学之所以乎？曷可俯仰于俗，嚣嚣为多言之徒哉？然欲举圣人之道哉，其身亦宜由之也。比见执事多尚驳杂无实之说，使人陈之于前以为欢，此有以累于令德。”《上韩昌黎第二书》曰：“君子发言举足，不远于理，未尝闻以驳杂无实之说为戏也。执事每见其说，亦拊卞呼笑，是挠气害性，不得其正矣。苟正之不得，曷所不至焉。或以为中不失正，将以苟悦于众，是戏人也，是玩人也，非示人以义之道也。”这与裴度评论的精神也是一致的。

如上所述，裴度不但是勋业重臣，而且是文坛大佬。他的《寄李翱书》，就是用完美的古文写作的，而他历掌御前笔札，在骈文写作上必然也有深厚的修养，因此他的批评，代表着行家的正统观念。于此可见，在中唐文坛上，韩愈的创作因力求创新而出现了许多碍眼的成分，时人以其破坏常规而颇多指责。

对于这种情况，韩愈早有所知，但他持不屑一顾的态度，决心为贯彻个人的文学主张而抗争到底。《与冯宿论文书》曰：“辱示《初筮赋》，实有意思，但力为之，古人不难到，但不知直似古人，亦何得于今人也？仆为文久，每自则意中以为好，则人必以为恶矣！小称意，人亦小怪之；大称意，即人必大怪之也。时时应事作俗下文字，下笔令人惭，及示人，则人以为好矣。小惭者，亦蒙谓之小好；大惭者，即必以为大好矣。不知古文直何用于人世也？然以俟知者知耳。”这种力排众议坚持自己文学主张的做法，也就是裴度所说的“昔人有见小人之违道者，耻与之同形貌，共衣服，遂思倒置眉目，反易冠带以异”了。可见韩愈的古文革新运动，在奋力前进的过程中，遇到的问题是不少的。但他力排众议，坚持自己的创作道路，终于开辟了一条新的创作途径，并取得了巨大的成就。

四

这在过去是一种被认为绝对正确的观点：有人认为世界观决定一切，而世界观中最为重要的就是其政治观，文学观则从属于政治观，因此研究工作者探讨作家的文学观时，首先得考察这位作家的政治观。这种意见对研究工作起着有害的作用。作家研究往往流为片面的政治分析。

其实这种认识是不合实情的。就以韩愈、柳宗元、刘禹锡等人对淮西军事的评价来说，也可看到政治观点与文学观点的不能相互替代。

在这次军事活动中，韩愈坚决支持主战派裴度，积极配合其行动，并做出了贡献。事成之后，他在奉命撰作《平淮西碑》时，又将首功归于裴度。但如上所言，裴度对韩愈的文学创作颇有保留意见，没有引荐他担任过什么文字方面的要职。裴度与韩愈的一致之处，主要在政治方面。

刘禹锡在贬斥远州时，受到过裴度的援救之恩，但在评价淮西之役时，却是不满于韩愈的过分归功裴度，从而不满于韩愈的《平淮西碑》，转而赞扬段文昌的《平淮西碑》。事后看来，裴度不以此为忤，反而引荐他出任文字方面的要职。说明刘禹锡在文学方面与裴度的品评标准更为一致。

这就说明，刘禹锡和韩愈之间，不但在政治观点上，而且在文学观点上，都存在着分歧。

柳宗元死后，刘禹锡奉命为之编纂《柳河东集》，他打破了总集前端首列赋体的惯例，将《平淮夷雅》置于全书之首，说明他对柳文中的这一部分特别重视。

这样做，颇有与韩愈分庭抗礼的意思。

刘禹锡在与韦绚闲谈时一再吐露过心声。他曾说：

> 柳八驳韩十八《平淮西碑》曰：“‘左飧右粥。’何如我《平淮夷雅》之云‘仰父俯子’。”禹锡曰：“美宪宗俯下之道尽矣。”柳云：“韩《碑》兼有帽子，使我为

之，便说用兵讨叛矣。”（《唐语林》卷二，原出《刘宾客嘉话录》）

柳宗元和韩愈都是古文运动中的主将。他们在反对骈文写作古文的活动中，都做出过巨大的贡献，但由于两人在气质秉性和生活道路等方面有差异，在文学观点上也就有很多不同。即以上面提到的句法与章法方面的问题而言，也说明了两人的着眼之点与致力之处有所不同。

林纾《春觉斋论文》在《用字四法》中提到古文写作中有一种“拼字法”，云“古文中拼字，原不能一着纤佻，然用此拼集庄雅之字，亦足生色。盖拾取古人用过字眼，便嫌饤饾，故能文者恒自拼集，以避盗拾之嫌。”唐代古文大家韩、柳最擅长此法。用这种方法构成的句子，往往给人一种矫奇不群的感觉，而这正是韩愈等人所刻意追求的。《平淮西碑》中就有“圣子神孙”“文恬武嬉”“兵利卒顽”“进战退戮”“左飧右粥”等句，《平淮夷雅》中也有“南征北伐”“归牛休马”“冲勇韬力”“右翦左屠”“仰父俯子”等句。比较起来，柳宗元造的句子比较平实，没有什么弊病，但似缺乏奇警的深致。韩愈的造句则好坏悬殊，如“文恬武嬉”，就是以其语新意奇而被纳入了我国常用成语的行列；而如“左飧右粥”之句，则由刻意求新而流于晦涩费解。大约这也就是裴度批评的“以文字为意”的磔裂章句之病了。

张戒《岁寒堂诗话》卷上曰：“柳柳州诗，字字如珠玉，精则精矣，然不若退之之变态百出也。”这是很有见地的说法，玩味二人的诗文，当有同感。

刘禹锡还说：

> 段相文昌重为《平淮西碑》，碑头便曰：“韩弘为统，公武为将。”用左氏“栾书将中军，栾黡佐之”，文势也甚善，亦是效班固《燕然碑》样，别是一家之美。（《唐语林》卷二，原出《刘宾客嘉话录》）

韩、段二家《平淮西碑》的优劣之争，是唐史上的一桩重要公案。从刘禹锡的上述言论来看，即使在文笔方面，他也更为欣赏段文昌的《平淮西碑》。

以他所举的例句而言，可知他是主张用骈体写作纪碑文的。《文心雕龙·诔碑》篇中说：“碑实铭器，铭实碑文。……是以勒石赞勋者，入铭之域。”段文昌的《平淮西碑》，仿效班固的《封燕然山铭》而作。班固写作此铭，喜用骈句，宣扬汉家天子的声威和车骑将军窦宪的功绩。段文昌作《平淮西碑》，宣扬大唐天子的宏图与裴度、李愬等人的功勋，情况有类似处。况且唐代奉旨撰述的文字，大都用骈文写作，段文昌此文，用的是通行的骈体，刘禹锡赞成这种文体，却不能正确地理解韩愈力图用古文创作打破皇家公文程式的用心。

韩愈的《平淮西碑》，反映了他以复古为革新的创作特点，所谓“点窜《尧典》《舜典》字，涂改《清庙》《生民》诗”，文章开端，模仿典谟训诰中晓示下属的口吻，加上了一段叙述“圣子神孙”功业和宪宗指挥三军的文字，这几乎占到全文的一半，所以柳宗元就嫌它“前有帽子”，不是单刀直入触及本题了。刘禹锡还说：“韩《碑》柳《雅》，予为诗云：‘城中晨鸡喔喔鸣，城头鼓角声和平。’美李尚书愬之入蔡城也。须臾之间，贼都不觉。”这也是反对韩文叙事之前加帽子的意思。

韩愈与柳、刘立论的分歧，原因是多方面的。韩愈是从平藩镇之乱的大局着眼，从而推崇裴度的战略措施。柳、刘是从雪夜入蔡州的战绩着眼，从而推崇李愬的战术成功。韩愈毕竟是创立宗派的大师，敢于破除常规，制作格调高亢的鸿文，尽管有人指出此文开端叙事与史实多不合，但堂庑博大，还是写出了宪宗一时的声威。柳宗元和刘禹锡是热衷于参政注重事功的人，而在创立文派方面气魄稍逊，因此他们自矜自许的那些歌颂平淮西的文字，写得都很精当具体，然而气魄文势，则不能不说有逊于韩文。

但刘禹锡注重骈体的看法，却与裴度一致。上面说到，裴度可以作为唐代正统文风的代表，他曾引荐刘禹锡主持御前笔札，可见刘禹锡的创作活动和文学观点正代表了当代的正统文风。

赵璘《因话录》卷三商部下曰：“元和以来，词翰兼奇者，有柳柳州宗元、刘尚书禹锡及杨公。刘、杨（敬之）二人，词翰之外，别精篇什。”《唐语林》卷二《文学》载宰相杨嗣复对文宗曰：“今之能诗，无若宾客分司刘禹锡。”足见刘禹锡的诗文，也是享有一时盛名的。

刘禹锡喜欢微文讥嘲，但他的创作，从写作手法来说，可没有故意求新，从而背离正统规范，所以深得裴度的赏识。

《旧唐书·刘禹锡传》：“禹锡甚怒武元衡、李逢吉，而裴度稍知之。大和中，度在中书，欲令知制诰，执政又闻《游玄都观诗序》，滋不悦，累转礼部郎中，集贤院学士。”[①]说

① 此说与事实稍有不合。钱大昕《诸史拾遗》卷二曰：“禹锡本自和州除主客郎中分司东都，其时初未到都，次年方以裴度荐起元官，直集贤院，方得到京，《玄都》正在此时，距元和十年乙未，自朗州被召，恰直十四年矣。集中又有《蒙恩转仪曹郎依前充集贤学士举韩湖州自代》诗，可见禹锡初入集贤尚是主客，后乃转礼部。史云以荐为礼部郎中，集贤直学士，亦未核也。”

明裴度的荐举刘氏，虽因政治上的原因未能如愿，但是毕竟由此而使他进入宫廷文人学士的行列之中。自此之后，在裴度的提携下，仕途也就平坦起来了。

盛唐时期名家辈出。诗文上的成就异常突出。中唐时期的文坛，继承这一时期的成果，自然会把沿着盛唐的创作道路而向前发展的人视为正统规范的体现者。刘禹锡的诗文创作，正是上承盛唐成就而来的，王士稹《唐人万首绝句选·凡例》曰："中唐之李益、刘禹锡，晚唐之杜牧、李商隐四家，亦不减盛唐作者云。"许印芳《律髓辑要》卷二曰："文章一道，总不能离起承转合之法，用之无痕者，作用在内，暗起暗承，暗转暗合，暗中消息相通，外面筋骨不露。盛唐诗气格高深，意味深厚，其妙在此。愚人但以形貌求盛唐，谓其无甚作用，谬矣。晚唐及宋人诗，作用在外，往往露骨，故少深厚之作。惟中唐刘中山、刘随州，犹有盛唐遗意耳。"由此可以察知裴度激赏刘禹锡的原因。他不推荐韩愈、白居易主持御前笔札，而是推荐刘禹锡知制诰，正是因为刘氏的创作符合文坛正统规范的缘故。

方东树在《昭昧詹言》卷十八中叙及刘禹锡《西塞山怀古》一诗时，纵论柳、刘创作上的得失，且与白居易的创作相比较，颇有启发意义，可以参考。方氏曰："柳子厚才又大于梦得，然境地得失，与梦得相似。”“大约梦得才人，一直说去，不见艰难吃力，是其胜于诸家处；然少顿挫沉郁，又无自己在诗内，所以不及杜公。愚以为此无可学处，不及乐天有面目格调，犹足为后人取法也。”从刘、白二人对后世的影响来说，应该认为白胜于刘。

我在本文开始时就引用了李肇在《国史补》中论述“元和体”的一条文字，进而介绍了韩愈、孟郊、樊宗师、元稹、白居易、张籍等人的创作特色。读者不难看出，当时文坛上也享有大名的柳宗元、刘禹锡二人却是没有名列其中，这很值得深入体察。柳、刘二人与上述两大流派中人都有至为密切的关系，他们的创作成就也足与上述各家并列而无愧，李肇存而不论，确是另有其原因。看来柳、刘二人的创作并不具备“怪”的特点，他们只是沿着前人提供的条件正常地发展，在写作技巧上没有做出开拓性的努力，所以不能在这百舸争流的浪潮中代表某一方向而前进，在文坛上没有形成某一具有特色的流派，所以李肇才不加论列的吧。

（原载《中华文史论丛》第47辑，1991年5月）

韩愈的《永贞行》以及他同刘禹锡的交谊始末

一

顾嗣立《昌黎先生诗集注》卷三评《永贞行》曰："此诗前半言小人放逐之为快，后半言数君贬谪之可矜，盖为刘、柳诸公也。"

陈祖范《记昌黎集后》曰："予读韩文公《顺宗实录》及《永贞行》，观刘、柳辈八司马之冤，意公之罪状王、韦，实有私心，而其罪固不至此也。……退之于伾、文、执谊有宿憾，于同官刘、柳有疑猜，进退祸福，彼此有不两行之势。而伾、文又速败，于是奋其笔舌，诋斥无忌，虽其事之美者，反以为恶，而刘、柳诸人朋邪比周之名成矣。史家以成败论人，又有韩公之言为质的，而不详其言之过当，盖有所自。予故表而出焉，非以刘、柳文章之士而回护之也。”[1]

顾、陈二家之说，对于《永贞行》的内容、韩愈的创作态度，以及此诗所产生的影响，理解比较正确，后人自可据此而做深入一层的挖掘。

实际说来，王叔文一伙在顺宗一朝的所作所为，和韩愈没有什么直接的关系，因为韩愈在贞元十九年底以天旱人饥奏请停征京兆府税钱及田租，为人所谗，贬为连州阳山令。贞元二十一年夏秋之际，遇赦离阳山，俟命于郴州，八月授江陵法曹参军，九月初赴江陵。直到宪宗元和元年六月，召拜国子博士，始得还朝。王叔文等人的政治活动，一系列措施的推行，仅限于贞元二十一年一月至八月，那时韩愈正以有罪之身漂泊在外，自无卷入政治旋涡之可能。

王叔文等人采取的措施，如罢免贪官、压抑藩镇等，和韩愈平素的主张也是一致的，按理来说，应当得到他的支持，因此有的研究工作者认为韩愈实际上是同情所谓“永贞革新”的。但这与韩愈在《永贞行》中表明的态度显然不合。在此诗中，韩愈口诛笔伐，其口气之严厉，用字之尖刻，已经到了一般封建文人都难于接受的地步。钱仲联先生的《韩昌黎

① 载《陈司业文集》卷一。

诗系年集释》曾引各家之说，逐一加以驳正，如此又怎能说得上是韩愈同情所谓“永贞革新”的呢？

韩愈的《顺宗实录》是朝廷的史册，根据古来的传统，要求善恶必书，因此王叔文集团中的一些善政确是得到了较为接近事实的记录，但《顺宗实录》内也记下了这一集团中人的不少劣迹。韩愈有关后一方面的文字，和他在《永贞行》中的描写是一致的。他和王叔文集团之间始终画下一条明确的界线。尽管这一集团中有他的朋友柳宗元、刘禹锡在内，但他一直以猛烈攻击这一集团为己任，而且不断地在这些朋友之前提醒这一界线的存在。

王叔文集团的一些政治活动，还是经得起历史检验的，因此自宋代起，就已有人为之鸣冤了。韩愈那些过激的批判，也就引起了后人的反感。谭献《复堂日记》卷七曰：“《十七史商榷》于唐独表王叔文之忠，非过论也。予素不喜退之《永贞行》，可谓辩言乱政。”近人对于王叔文集团的进步意义有了更多的认识，由是对韩愈的声讨也就更见猛烈了。

韩愈和柳宗元、刘禹锡的关系，经常处在一种微妙的状态之中，彼此之间既有相互钦敬的一面，也有很多的隔阂和矛盾。只有联系中唐时期的政治形势，分析各种人物的动态，明确彼此的立场，掌握他们的思想情绪，才能对《永贞行》一诗获得完整的理解。

二

韩愈是个家族观念很强的人，而且颇以家世自负。自他的父辈起，到他的下一代，即使是那些碌碌无为的韩氏子孙，在他写作墓志铭时，也总要说上几句好听的话，如称韩岌“少而奇，壮而强，老而通”（《虢州司户韩府君墓志铭》），韩俞“卓越豪纵”（《四门博士周况妻韩氏墓志铭》），韩介“为人孝友”（《韩滂墓志铭》）之类。

而在韩愈一族中，却是少有地位尊显的人物，其中要数叔父云卿的名声较大。李白《武昌宰韩君去思颂碑序》中说：“云卿，文章冠世，拜监察御史，朝廷呼为子房。”韩愈于《科斗书后记》中说：“愈叔父当大历世，文辞独行中朝，天下之欲铭述其先人功行取信来世者，咸归韩氏。”其后韩愈以写作古文扬名于世，而且专精于写作碑志，应当接受过这位叔父的影响。

但与韩愈关系最为深切，对其影响最为巨大的家人，首推长兄韩会。韩愈早年很不幸，生下不到两个月，就失去了母亲；三岁时，父亲仲卿也去世了。其后就由韩会哺养。七岁随兄迁居长安，从之读书。十岁时，韩会贬官，随之谪居韶州；直到十三岁，韩会去世，韩愈始终随从着长兄。这时所经历的一切，自然会在他幼小的心灵上铭刻下烙印。

韩会死后，韩愈由长嫂郑氏哺养，备历艰辛，至于成立。《祭郑夫人文》中详叙抚育之情，直是声声血泪，可见其受恩之深。俗语说："长兄为父，长嫂为母。"特别是像韩愈这样的经历，真正体现了封建社会家族关系中的这一人伦准则。祭文中也说："视余犹子，诲化谆谆"；"昔在韶州之行，受命于元兄，曰：'尔幼养于嫂，丧服必以期。'今其敢忘？天实临之！"足见他对兄嫂的感情之深。

但在韩愈的生花妙笔之下，却有一件难于实录的事，那就是韩会的遭贬。因为此事委实不太光彩，韩会是因党附权奸元载而受到惩处的。

韩愈成名之时，上距元载之死，已有二三十年的间隔，历史已为这位显赫一时的人物作出了定论。他玩弄权谋，培植私党，贪赃纳贿，声名狼藉。由这一案件而遭贬的人，自然也是名声不佳的了。

但韩会却是一位自命甚高的人物。《旧唐书·崔造传》曰："永泰中，与韩会、卢东美、张正则为友，皆侨居上元。好谈经济之略，尝以王佐自许，时人号为'四夔'。"钱易《南部新书》卷丙记载全同，当是袭用前人著作而著录的，此说所从出的原书已佚，谅来是中唐时期的人所记。李肇《国史补》卷下还说：“韩会与名辈号为‘四夔’，会为夔头。”可见他在这些人物中的突出地位。

这一些人虽然自命甚高，但并没有什么卓越的才能。因为政治上无所建树，所以也没有什么记载流传下来。崔造夤缘际会，虽曾一度拜相，但新、旧《唐书》上都说他“不能权济大事”，“莅事非能”；韩愈怀着特殊的感情为卢东美作墓志，也只能说是“在官举其职”而已。韩会的政治活动一开始就遭到挫折，未能充分施展才能，但在他得意时，似乎也没有什么突出的表现。

于是韩愈只能从“德行”上去表扬先兄了。《考功员外卢君墓志铭》曰：“愈之宗兄故起居舍人君以道德文学伏一世。其友四人，其一范阳卢君东美。少未出仕，皆在江淮间，天下大夫士谓之‘四夔’，其义以为道可与古之夔、皋者侔，故云尔。或曰：‘夔尝为相，世谓“相夔”。’四人者，虽处而未仕，天下许以为相，故云。”《韩滂墓志铭》曰：“起居有德行言词，为世轨式。”但这是无论如何不能自圆其说的。这样一位拟于夔、皋的圣者，却因依附声名狼藉的权奸而遭贬，这真是最大的讽刺。对于深受长兄养育之恩而又以家世自负的韩愈来说，确是不太容易启口的。

于是他就只能虚晃一枪，推说韩会之贬乃因遭到了谗言。《祭郑夫人文》中说："年方及纪，荐及凶屯。兄罹谗口，承命远迁。"只是这种说法提不出什么事实根据，缺乏说服力。因为元载一党的覆没，是当时朝廷上的一件大事，韩会之贬，为的是关系不同寻常。《旧唐书·代宗本纪》大历十二年夏四月"癸未，以右庶子潘炎为礼部侍郎。贬吏部侍郎杨炎为道州司马，元载党也。谏议大夫知制诰韩洄、王定、包佶、徐璜，户部侍郎赵纵，大理少卿裴翼，太常少卿王纨，起居舍人韩会等十余人，皆坐元载贬官也"。《资治通鉴》卷二二五代宗大历十二年四月"癸未，贬吏部侍郎杨炎，谏议大夫韩洄、包佶，起居舍人韩会等，皆载党也"。可见韩会确是元载一党的核心人物，这是韩愈无法为之洗刷的。

韩会曾撰《文衡》一文，对韩愈影响至巨。王铚《韩会传赞》曰："观《文衡》之作，益知愈本六经、尊皇极、斥异端、节百家之美，而自为时法。立道雄刚，事君孤峭，甚矣其似会也。孟子学于子思，而道过之，圣人不失其传者，子思也。会兄弟师授伟矣！"[①] 足以说明韩会的文学事业曾给韩愈

---

① 见宋魏仲举《五百家注音辨昌黎先生全集》附《韩文类谱》卷八。

以启导。他在政治上的颠踬，也就成了韩愈的隐痛，自会引起他深沉的思考。

三

我国古代士人对其出处，常是表现为两种态度。一种是科举出身，逐级升迁，不图幸进，也不急于求成。一种是自负其才，以管、乐自许，平时注意传播名声，希望获得有力者的援手，遽躐高位，一展抱负。每当政治发生危机、社会处于动乱时，后一类人就更有冒头的机会。即以唐代而言，玄宗至代宗时，曾经出现过张镐、李泌等人物。可见这条终南捷径还是颇有吸引力的。

一些服膺儒术的人，则常是以夔、皋自许，犹如杜甫自命稷、契，希望"致君尧舜上"一样。这一类人大都迂阔无能，但如房琯之在玄宗、肃宗时，虚名还是很大的，且对高迁也发生了影响。"四夔"之辈，看来走的就是后一条路。然而号称"夔头"的韩会，却不慎坠入元载一党，落得个不光彩的下场。

元载出身寒微，只是利用宫廷内部的矛盾，帮助代宗诛戮威胁王室的宦官，获得了信任，攫取了权势。他也曾经提拔过一些能人，采取过一些有益的措施，但其为人专尚权术，放纵无忌，结果犹如暴发户一样，贪赃枉法，卑污至极。韩会与这样的人交往，就是在出处大节上缺乏检点，这是韩愈一定会引为教训的。

他在许多文章中透露过这一消息，反复思考过文人的出处问题。《进士策问十三首》中一首曾这样提问：

> 春秋之时，百有余国，皆有大夫士；详于传者，无国无贤人焉。其余皆足以充其位，不闻有无其人而阙其官者。……今天下九州四海，其为土地大矣，国家之举士，内有明经进士，外有方维大臣之荐，其余以门地勋力进者，又有倍于是，其为门户多矣，而自御史台、尚书省，以至中书、门下省，咸不足其官，岂今之人不及于古之人邪？何求而不得也？夫子之言曰："十室之邑，必有忠信如丘者焉。"诚得忠信如圣人者，而委之以大臣宰相之事，有不可乎？况于百执事之微者哉！古之十室必有任宰相大臣者，今之天下而不足士大夫于朝，其亦有说乎？

古代的事，现在为什么行不通？社会发生了变化，士子怎样走上仕途才算是合乎规范？他的结论是：不能汲汲于富贵，不能为了轻躁幸进而获祸。《与卫中行书》中说：

> ……至于汲汲于富贵，以救世为事者，皆圣贤之事业，知其智能谋力能任者也，如愈者又焉能之？……然则仆之心或不为此汲汲也。其所不忘于仕进者，亦将小行乎其志耳，此未易遽言也。凡祸福吉凶之来，似不在我，唯君子得祸为不幸，而小人得祸为恒；君子得福为恒，而小人得福为幸，以其所为，似有以取之也。必曰“君子则吉、小人则凶”者，不可也。贤不肖存乎己，贵与贱、祸与福存乎天，名声之善恶存乎人。存乎己者，吾将勉之；存乎天、存乎人者，吾将任彼而不用吾力焉。其所守者，岂不约而易行哉？

就在韩愈进入仕途时，恰又遇到了一次类似前代政局的局面。出身寒微的王伾、王叔文等人，利用侍奉太子李诵的机会，正在搜罗人才，培植势力。这时正值德宗行将病故，重病在身的李诵即将代立，这对急于用事的人来说，正是日后飞黄腾达的一条捷径，也是施展抱负的大好时机。韦执谊就是看到了王叔文的受宠而依附上去的。《顺宗实录》卷五曰：“叔文，越州人，以棋入东宫。颇自言读书知理道，乘间常言人间疾苦。上将大论宫市事，叔文说中上意，遂有宠。因为上言：‘某可为将，某可为相，幸异日用之。’密结韦执谊，并有当时名欲侥幸而速进者陆质、吕温、李景俭、韩晔、韩泰、陈谏、刘禹锡、柳宗元等十数人，定为死交，而凌准、程异等又因其党而进，交游踪迹诡秘，莫有知其端者。”韩愈当时已有一定的名声，又是热衷于仕进的人，但他能在这种关键的时候自别于“欲侥幸而速进者”之流，不能不说是汲取了他先兄的教训。

贞元二十一年，即永贞元年，刘禹锡年三十四岁，柳宗元年三十三岁，正是意气风发之时。二人少有才名，又有很大的政治抱负，这时遇到施展才能的大好机会，也就很自然地和王叔文等人结合在一起了。《新唐书·刘禹锡传》曰：“素善韦执谊。时王叔文得幸太子，禹锡以名重一时，与之交，叔文每称有宰相器。太子即位，朝廷大议秘策多出叔文，引禹锡及柳宗元与议禁中，所言必从。擢屯田员外郎，判度支、盐铁案，颇冯借其势，多中伤士。……凡所进退，视爱怒重轻，人不敢指其名，号‘二王、刘、柳’。”又《王叔文传》曰：“时景俭居亲丧，温使吐蕃，惟质、泰、谏、准、晔、宗元、禹锡等倡誉之，以为伊、周、管、葛复出，惘然谓天下无人。”可见这一批人，正像前代的“四夔”一样，也是“以王佐自许”的。

柳宗元死后，韩愈为作墓志，一再说到柳氏“少精敏”“崭然见头角”“俊杰廉悍”“踔厉风发”。“子厚前时少年，勇于为人，不自贵重顾藉，谓功业可就，故坐废退”，可以说是走上了和韩会等人类似的道路。

韩愈在《永贞行》中谴责王叔文等一伙人时，有句云：“夜作诏书朝拜官，超资越序曾无难。”这是带有总结历史经验性质的意见，他是反对幸进而主张循资顺序的。

韩愈看到了宦海风波，不再“汲汲于富贵”，在出处上甚为审慎。刘、柳却想“超资越序”而立抵卿相，以至重蹈他人之覆辙。这就决定了二者政治态度上的差异，也就引起了日后一系列的矛盾和隔膜。

就在贞元十九年，王叔文集团公开的前夕，韩愈被远贬到连州阳山。他为什么遭到斥逐，史书上的记载纷纭不一，直到现在得不出可信的结论。按照韩愈自己的记叙来看，他是认为这同王叔文一伙的弄权有关。

韩愈在诗文里经常提到这一不愉快的事件。《赴江陵途中寄赠王二十补阙李十一拾遗李二十六员外翰林三学士》曰：

> 孤臣昔放逐，血泣追愆尤，汗漫不省识，恍如乘桴浮。或自疑上疏，上疏岂其由？……适会除御史，诚当得

言秋，拜疏移阁门，为忠宁自谋？上陈人疾苦，无令绝其喉；下言畿甸内，根本理宜优。积雪验丰熟，幸宽待蚕辫。天子恻然感，司空叹绸缪，谓言即施设，乃反迁炎州。同官尽才俊，偏善柳与刘。或虑语言泄，传之落冤仇。二子不宜尔，将疑断还不。……

这里他对遭贬的原因做了两种不同的分析。说是为了“御史台上论天旱人饥状”吧，那已经得到了天子和宰臣的赞同，因而“上疏岂其由？”这种可能性应该排除。这也就是说：遭到京兆尹李实的报复而遭打击的说法，韩愈当时也是不相信的。

看来他是怀疑一起担任监察御史的好友柳宗元和刘禹锡泄露了“语言”，所以“传之落冤仇”的。这定然是一种机密的“语言”，得罪了另一批幕后的权臣。此句之后虽然紧接着也排除了这种假设，但这里可能只是一种巧妙的遁词。韩愈于此本找不到什么确凿的证据，不便把话说死，而且李程等人和柳、刘交情很深，因而只能欲吐又吞。但他如果已从根本上排除了这种怀疑，那又为什么要在共同的朋友面前提起这桩不愉快的往事？

再把上述两层意思联系起来考察，韩愈的真意似在说明，他因上《天旱人饥状》而获罪，这只是表面现象，不是根本原因。问题的实质是得罪了王叔文一伙，而语言不慎，可能是由刘、柳二人传过去的。王叔文一伙假借上疏之事暗中活动，对他施加打击。

贞元二十一年夏秋之际，韩愈遇赦离开阳山，在郴州待命。这时的一些经历，加深了他的怀疑。当时王叔文集团正如日当天，柳宗元、刘禹锡等人大权在握，为什么不对横遭不幸的好友一伸救援之手？贞元二十一年正月辛酉，王叔文等人一上台，就把京兆尹李实贬为通州长史，并以诏书的形式宣布他的罪状，那他们为什么不把前此早已弹劾此人的韩愈引为同类而召唤入京呢？

韩愈不能不感到失望和愤懑，他在《八月十五日夜赠张功曹》一诗中说：

> 昨者州前捶大鼓，嗣皇继圣登夔皋。赦书一日行万里，罪从大辟皆除死。迁者追回流者还，涤瑕荡垢清朝班。州家申名使家抑，坎坷只得移荆蛮。

方崧卿《韩集举正》卷一曰："以文意考之，盖言追还之人，皆得涤瑕垢而朝清班，惟已为使家所抑，故只量移江陵也。”使家指当时担任湖南观察使的杨凭。陈景云《韩集点勘》卷一曰：“公自阳山遇赦，仅量移江陵法曹，盖本道廉使杨凭故抑之，赠张功曹诗所谓‘州家申名使家抑，坎坷只得移荆蛮’是也。时韦、王之势方炽，‘凭之抑公，乃迎合权贵意耳。’”钱仲联《韩昌黎诗系年集释》补释则曰：“杨凭为柳宗元妻父，自必仰承伾、文一党意旨。公与（张）署之被抑，宜也。”联系前此的阳山之贬，再和眼前的形势联系起来，使得韩愈更加怀疑，这些事情的背后确由王叔文一伙人在操纵。其时王叔文党已经逐渐失势，但杨凭还是能够利用权势阻难他回朝。韩愈前遭打击，后遭压抑，不由得对王叔文一伙增加了敌对的情绪。

韩愈政治上的升沉，和王叔文一党力量的消长成反比。等到这一集团正式登台，韩愈才更明确认识到自己屡遭厄难的原因；等到这一集团垮台，才看到了抬头的机会。于是他在《忆昨行和张十一》一诗中又说：

> 念昔从君渡湘水，大帆夜划穷高桅。阳山鸟路出临武，驿马拒地驱频隤。践蛇茹蛊不择死，忽有飞诏从天来，伾、文未揃崖州炽，虽得赦宥恒愁猜。近者三奸悉破碎，羽窟无底幽黄能。眼中了了见乡国，知有归日眉方开。

但令人费解的是，韩愈在什么事情上得罪了王叔文集团？他在朝时，这一集团还未走向前台，他们的政治措施，还未公之于世，韩愈即使暗中计议，也难于具体论列。想来当是柳宗元、刘禹锡等人与之过往甚密，韩愈凭着自己的政治经验，对二王的作风有所评议，在柳、刘面前表露过，或者进行过规劝，希望他们不要轻躁冒进。其时韩愈还作有《君子法天运》诗，内云："君子法天运，四时可前知；小人惟所遇，寒暑不可期。利害有常势，取舍无定姿。焉能使我心，皎皎远忧疑。"方世举《韩昌黎诗集编年笺注》卷二以"此诗为刘禹锡、柳宗元比伾、文而作"，或许接近事实。当时韩愈曾经申述过自己的观点，其后他就遭到一系列的打击和迫害，这就不能不使他怀疑到这两位好友泄露了"语言"。

永贞元年八月，宪宗即位，标志着王叔文集团的败端已露，韩愈乃得量移江陵法曹参军。当他路过岳阳时，作《岳阳楼别窦司直》一诗，重提此事。

念昔始读书，志欲干霸王，屠龙破千金，为艺亦云亢。爱才不择行，触事得谗谤，前年出官由，此祸最无妄。公卿采虚名，擢拜识天仗，奸猜畏弹射，斥逐恣欺诳。新恩移府廷，逼侧厕诸将，于嗟苦驾缓，但惧失宜当。……

窦庠随作《和韩十八侍御登岳阳楼》一诗，但对韩愈的牢骚不置只字。可能因为事出暧昧，旁人无从了解真相，因此对于韩愈前此遭贬之事略而不谈。

是年九、十月间，王叔文集团的政治斗争宣告失败，刘禹锡遭严谴，贬为连州刺史，正路过江陵，从而获得与韩愈见面的机会。这时的政治形势已经彻底改变。根据当时的政治标准来看，韩愈大义凛然，见机先觉，与李实、王叔文等人做坚决的斗争，虽遭迫害而终不动摇，可以说是经历了严峻的考验，在政治品德上博得了声望。刘禹锡等人则因轻躁幸进篡窃权柄而被远斥，政治上处于下风。在韩愈看来，刘禹锡等人正是因为不听从他的“语言”，所以才落得这种下场。

于是，韩愈拿出《岳阳楼别窦司直》一诗，要求刘禹锡属和。这番举动，显然是要求刘禹锡对自己的怀疑做出解释。韩愈的态度还算是友善的，可以说是在政治上得到了翻身之后，要求处在嫌疑之间的朋友做出必要的说明。

何焯《义门读书记》曰：“退之出官，颇猜刘、柳泄其情于韦、王，乃此诗即以示刘，令其属和，毋乃强直而疏浅乎？或者窦庠语次，深明刘、柳之不然，劝其因倡和以两释疑猜，而刘亦忍诟以自明也。”这种分析的前半部分颇有启发意义，后半部分则是不符事实的臆断之词。窦庠当时权领岳州刺史，未闻同在江陵，怎能劝刘禹锡“倡和以两释疑猜”？而且窦庠在诗中未曾涉及前此的韩、刘事件，可见刘氏的答诗与窦庠毫无关系。

这时的刘禹锡，政治上和道义上正处于逆境，应命而作《韩十八侍御见示（岳阳楼别窦司直）诗因令属和重以自述故足成六十二韵》，对他来说，是很难措辞的。因为他身处嫌疑之间，既不能承认什么，又不能否定什么，因此只能随文敷衍，而在韩愈的猜疑的问题上不着只字。

> 故人南台旧，一别如弦驶。今朝会荆蛮，斗酒相宴喜。为余出新什，笑抃随伸纸。晔若观五色，欢然臻四美。委曲风涛事，分明穷达旨。……

可以说，二人的隔阂没有能够消除，疙瘩没有能够解开。韩愈随即又写了这首《永贞行》赠送刘禹锡，进一步表明了自己的态度。

关于这首诗的写作时间和赠送对象，以往已有许多人做过考证，《五百家注音辨昌黎先生全集》卷三引韩醇曰：“‘郎官’‘荒郡’，意指刘禹锡坐叔文党贬连州也。公方量移江陵，而梦得出为连州，邂逅荆蛮，故作是诗。观终篇之意，可见其为梦得作也。”有人以为诗中明言“数君”，安得专指梦得一人？柳宗元贬邵州刺史，也要经过江陵，因此这诗应当兼为刘、柳而作。但考究起来，还应以韩醇的意见为是。因为《永贞行》中提到蛮荒的一段，所谓“荒郡迫野嗟可矜，湖波连天日相腾，蛮俗生梗瘴疠烝，江氛岭祲昏若凝。一蛇两头见未曾？怪鸟鸣唤令人憎，蛊虫群飞夜扑灯，雄虺毒螫堕股肱，食中置药肝心崩，左右使令诈难凭，慎勿浪信常兢兢”，并非掇拾陈词，而是直陈所见。因为他刚从连州召回，而刘禹锡则要赴他前此的同一贬所，所以诗中紧接上文又说：“吾尝同僚情可胜？具书目见非妄征”，表明这里是用个人的生活经验告知故人，对象甚为具体，不包括柳宗元在内。

韩愈这时写作《永贞行》，也就带有强烈的个人情绪。前此无名的阳山之贬，愤恨难消；怀疑中的“语言”之泄，还是无法解开疑团，刘禹锡应嘱的和诗，没有什么实质性的解答，于是韩愈重作《永贞行》一诗，以总结历史经验为题，声讨王叔文集团。这样，诗中也就出现了如下一些特点：

一是猛烈攻击王叔文等人，极尽丑诋之能事。这样做，可以进一步说明他本人政治方向的正确，满足其时政治上的优越感。不过他却是过甚其词，失掉了分寸。夸大事实固不必说，内中说到"董贤三公谁复惜，侯景九锡行可叹"，就是那些封建社会中的文人看来，也已觉得拟于不伦了。韩愈这样高的调门，想来只会引起刘禹锡的反感。

二是关怀故友，把刘禹锡等人和二王一辈"小人"区别开来。诗中说到"四门肃穆贤俊登，数君匪亲岂其朋？"表示对故友的谅解。刘禹锡在《上杜司徒书》中也介绍过韩愈对他的同情。这种态度，曾经博得很多人的赞可。但韩愈在《永贞行》中还是掩抑不住政治上占上风之后的快意心情，何焯《义门读书记》曰："'具书目见'，亦有'君来路''吾归路'之意，非长者言也。"这种情绪或许是自然而不自觉的流露吧。

此诗最后用"嗟尔既往宜为惩"一句结束，希望刘禹锡对自己的误入歧途引为教训。这可不是一般的叮咛，而是具有多层含义的告诫。大约是说当年没有听从他的忠告，所以遭此羞辱而贬斥南荒吧。

其后韩、刘各奔东西，似乎再无见面的机会。就在韩愈写作《永贞行》后不久，刘禹锡改谪朗州司马。元和十年二月，刘禹锡自朗州召回长安，三月再贬连州刺史。其时韩愈在长安，任考功郎中知制诰。这时本有机会聚首，但两人集子中没有留下什么往还的文字。

元和十二年十二月，韩愈随裴度出征淮西有功，授刑部侍郎。次年正月大赦。刘禹锡有《与刑部韩侍郎书》，内云：

> ……前日赦书下郡国，有弃过之目。以大国财富而失职者多，千钧之机，固省度而释，岂鼷鼠所宜承当？然譬诸蛰虫坯户而俯者，与夫槁死无以异矣。春雷一振，必歆然翘首，与生为徒，况有吹律者召东风以熏之，其化也益速。雷且奋矣，其知风之自乎！既得位，当行之无忽。

刑部侍郎掌律令刑法，有按覆谳禁之职。刘禹锡趁大赦之机，希望韩愈援手，但韩愈看来没有什么表示。

长庆二年，刘禹锡任夔州刺史，有《始至云安寄兵部韩侍郎中书白舍人二公近曾远守故有属焉》一诗奉寄，末云：

> 故人青霞意，飞舞集蓬瀛。昔曾在池籞，应知鱼鸟情。

也有希望对方援手之意。其时韩愈在京师任兵部侍郎，未曾有诗酬和，也没有什么措施予以援助。

看来两人江陵一别，疙瘩没有解开。政治斗争中形成的隔阂，一直到死都未能消除。这是很可惋惜的。

四

古今学者出于一种美好的愿望，对于历史上那些同时有交往的著名文人，总希望他们的友谊像水晶一样纯洁，而且自始至终没有瑕隙。但处在复杂的社会里，政治上的纷争，常使那些出身、思想、性格各不相同的文人走上不同的道路，从而产生一系列的矛盾和冲突。这是历史上常见的现象。韩愈、刘禹锡的这种凶终隙末的微妙关系就是明证，尽管有关这方面的文字记载大都闪烁其词。

韩愈死后，刘禹锡在和州任刺史，曾有《祭韩吏部文》之作，备致仰崇之意。里面叙及韩、柳与自己三人的情谊，也是切合实际的本色之词。文末有云："畏简书兮拘印绶，思临恸兮志莫就。生刍一束酒一杯，故人故人歆此来！"眷眷私衷，是很感人的。

但刘禹锡对韩愈是否一无意见可云了呢？朋友死后，感情激动下写出的东西，或许只能说明事情的一个方面。要想全面考察，不能光凭这些文字。

文人的态度，常有这种情况：每当他们正式落笔著之文字时，往往是一些可以公之于世的正面意见，而当他们私下与人交谈时，却常是透露出内心的一些真实想法来。这就是笔记小说之类的著作可贵的地方。

长庆之初，刘禹锡在夔州，韦绚自襄阳来谒，求在身边问学。韦绚是韦执谊的儿子，是刘禹锡的通家子弟，谈话也就很随便。韦绚日后作《刘公嘉话录》一卷，记载下了很多珍贵的资料，真切地反映了刘禹锡对韩愈的一些看法。

刘禹锡也提到了“四夔”之事，他说：

> 崔丞相造布衣时，江左士人号曰“白衣夔”。时有四人，一是卢东美，其二遗忘。

这是颇为奇怪的事。“四夔”之中，韩会为“夔头”，刘禹锡不容不知。因为他是故人韩愈的长兄，又是竭力回护的对象。“一是卢东美”之说，明从韩愈写作的墓志铭来，这里怎么反而对韩会略而不谈了呢？

看来刘禹锡的态度是有意忽略，亦即存而不论。

柳宗元在《先君石表阴先友记》中也叙及韩会，说是“善清言，有文章，名最高，然以故多谤”。因为韩会乃柳镇之友，故尔有此回护之词的吧。但韩会从元载而遭贬，刘禹锡是一清二楚的，这样的“白衣夔”其下场才真是可鄙的。他和柳、刘的从王叔文而遭贬，性质不同。然而韩会之事已成过去，自身的境遇却是难于辩解，因而刘禹锡只能推说“遗忘”的吧。

刘禹锡还直接评论韩愈说：

> 韩十八初贬之制，席十八舍人为之词，曰：“早登科第，亦有声名。”席既物故，友人曰：“席无令子弟，岂有病阴毒伤寒而与不洁吃耶？”韩曰：“席十八吃不洁太迟。”人问之：“何也？”曰：“出语不是。”盖忿其责辞云“亦有声名”耳。

席夔奉旨撰拟制文，并非出于私人恩怨，只是“亦有声名”一语略寓嘲弄之意，竟至引起韩愈如此反感。由此可见韩愈对个人的名望看得很重，对“初贬”时得到的各种待遇一直耿耿于怀，总想伺机报复，而进行攻击时出语又甚为尖刻。这对刘禹锡来说，感受自然不同常人，因此他又说到：

韩十八愈直是太轻薄，谓李二十六程曰："某与丞相崔大群同年往还，直是聪明过人。"李曰："何处是过人者？"韩曰："共愈往还二十余年，不曾共说著文章，此岂不是敏慧过人也。"

韩愈在《进学解》中自称"口不绝吟于六艺之文"，在《答李翊书》中又称"行之乎仁义之途，游之乎诗书之源"。但按上述这话来看，却是绝非儒家的忠恕之道，也缺少温柔敦厚的气象，难怪刘禹锡要直诋之为"轻薄"了。韩、崔二人于贞元八年同中进士第后，一直保持着密切的关系。韩愈在《与崔群书》中说："仆自今至少，从事于往还朋友间，一十七年矣。日月不为不久，所与交往相识者千百人，非不多，其相与如骨肉兄弟者亦且不少……至于心所仰服，考之言行而无瑕尤，窥之阃奥而不见畛域，明白淳粹，辉光日新者，惟吾崔君一人。"想不到这样一位至亲至敬之人，背后却遭到他如此恶意的嘲弄，真是有些匪夷所思的了。柳宗元《送崔群序》中说："崔君以文学登于仪曹，勰于王庭，甲俊造之选，首雠校之列。"而且崔群与裴度、贾竦、张籍、刘禹锡有《春池泛舟联句》；与李绛、白居易、刘禹锡有《杏园联句》。这样的人，说是“二十余年，不曾共说著文章”，也是不可思议的事。

由此可见，韩愈平时自有矫激、尖刻、好胜、重名的弊病，这在刘禹锡来说，那是体会特别深刻的。也只有掌握韩愈这些性格上的特点，才能更深刻地理解《永贞行》这诗的特点。

柳宗元《送元暠师序》曰：“中山刘禹锡，明信人也。不知人之实，未尝言，言未尝不雠。”可知刘禹锡的言论大都真实可信。

佚名《大唐传载》曰：“礼部刘尚书禹锡与友人三年同处，其友人云：‘未尝见刘公说重话。’”这或许是刘禹锡年事已高时的情况。但由此也可看到，他为人厚道，不会说什么缺乏分寸的过头话，而他在与韦绚谈话时直斥韩愈为“轻薄”，恐怕也是蓄之已久而自然流露的不满之词吧。

五

韩愈的《永贞行》一诗，对中唐时期的一次重大历史事件作了总结，因为它牵涉到许多著名文人的升沉出处，所以颇有探讨的价值。在此前后，韩愈还写下了许多与此有关的作品，应该把这一系列文字综合起来考察，结合在此前后的政治形势加以分析，才能进一步掌握韩愈思想发展的脉络，了解他和柳、刘等人的不同之点，以及二者之间政治上的分歧和产生的隔阂。这对了解上述诸人的思想或许都是有所帮助的吧。

（原载《中华文史论丛》1987 年 2、3 期合刊）

“芳林十哲”考

“芳林十哲”一名，从现在还能了解到作者姓名的著作而言，首先见于卢言的《卢氏杂说》。《太平广记》卷一八一引《卢氏杂说》，标名《苏景（胤）张元夫》的一条文字中说：

……开成、会昌中，又曰：“郑、杨、段、薛，炙手可热。”又有薄徒，多轻侮人，故裴泌应举，行《美人赋》以讥之。又有大小二甲，又有汪已甲。又有四字，言“深耀轩庭”也。又有四凶甲。又“芳林十哲”，言其与内臣交游，若刘晔、任息、姜垍、李岩士、蔡铤、秦韬玉之徒。铤与岩士各将两军书题，求状元，时谓之“对军解头”。

这一段文字，计有功《唐诗纪事》卷六十三《秦韬玉》言对军解头时曾加节录。王谠《唐语林》卷四《企羡》门则全文移录，字句多不同，请参看拙撰《唐语林校证》中之辨析，这里不一一列举。应该指出的是，《唐语林》中最后一句作“（蔡）铤与岩士各将两军书题，求华州解元，时谓‘对军解头’”。比之《太平广记》《唐诗纪事》中的引文，文理更为顺当。

“两军”与科举的关系

唐代应试的士子，想要赴京参加进士、明经等考试，先要取得本地官府的保荐。旅居长安的士子，限于各种条件，常是难于回籍求取解送，他们一般总是利用机会，就地应试，求得京兆府的解送；假如能够列在首十名之内，而又不发生意外，那就非常有可能取得科名。退而求其次，他们如能求得与京兆府邻近的同州、华州的解送，也会取得良好的效果。王定保《唐摭言》卷二《争解元》曰：“同、华解最推利市，与京兆无异。若首送，无不捷者。”难怪蔡铤、李岩士等人要竭力争取“华州解元”的资格了。

但这与“两军”又有什么关系呢？

“两军”云云，指的是左右神策军。这是皇帝的一支禁卫部队。唐德宗时，藩镇割据，内乱时起，国势危殆。他为了防止武臣跋扈，威胁王权，于是把在朱泚之乱中经过严峻考验的这支军队改由宦官统领，以为军权掌握在家奴手中，可以保证皇室的安全。《资治通鉴》卷二三五《唐纪》五一德宗贞元十二年“六月乙丑，以监句当左神策窦文场、监句当右神策霍仙鸣皆为卫军中尉”。自此之后，朝廷的大权进一步落入宦官之手，皇帝反而成了受挟制的傀儡。孙光宪《北梦琐言》卷六曰：“唐自安史已来，兵难荐臻，天子播越，亲卫戎柄，皆付大阉，鱼朝恩、窦文场乃其魁也。尔后置左右军、十二卫，观军容、处置、枢密、宣徽四院使，拟于四相也。十六宫使，皆宦者为之，分卿寺之职，以权为班行备员而已。”两军中尉一直控制着唐代中后期的政局。皇帝的废立，常由他们决定，裴庭裕《东观奏记》卷上言“文宗将晏驾，以犹子陈王成美当璧为托。建桓立顺，事由两军。[①]颍王即位”。可见其权势之大。应试的士子如果持有两军中的书题，当然是最有力的保票了。

由此可知，士子打通两军的关节[②]，也就是乞求宦官的援助。

---

① 刘禹锡《子刘子自传》叙顺宗内禅事曰：“是时太上久寝疾，宰臣及用事者都不得召对。宫掖事秘，而建桓立顺，功归贵臣。”“贵臣”即指大阉俱文珍辈。与“两军”内涵相同。

② 李肇《国史补》卷下《叙进士科举》曰：“造请权要，谓之关节。”

《唐摭言》卷九《恶得及第》曰：

> 高锴侍郎第一榜，裴思谦以仇中尉关节取状头，锴庭谴之。思谦回顾，厉声曰："明年打脊取状头。"明年，锴戒门下不得受书题，思谦自怀士良一缄入贡院；既而易以紫衣，趋玉阶下白锴曰："军容有状，荐裴思谦秀才。"锴不得已，遂接之。书中与思谦求巍峨。锴曰："状元已有人，此外可副军容意旨。"思谦曰："卑吏面奉军容处分。裴秀才非状元，请侍郎不放。"锴俛首良久，曰："然则略要见裴学士。"思谦曰："卑吏便是。"思谦词貌堂堂，锴见之改容，不得已遂礼之矣。[①]

通过这一事例，可见其时宦官之跋扈，以及科举场中之黑暗，同时也反映出了那些奔走两军的士子人品低下，面目可憎。所以《唐摭言》接着上引二例曰："黄郁，三衢人，早游田令孜门，擢进士第，历正郎金紫。李端，曲江人，亦受知于令孜，擢进士第，又为令孜宾佐。俱为孔鲁公所嫌。文德中，与

---

① 徐松《登科记考》卷二十一系于开成三年，并加按语曰："此为高锴第三榜；《摭言》以为第二年，误。"

郁俱陷刑网。”[①] 足见时人对于这一类人物的憎恶。《资治通鉴》咸通二年曰：“是时士大夫深疾宦官，事有小相涉，则众共弃之。建州进士叶京尝预宣武军宴。识监军之面。既而及第，在长安与同年出游，遇之于涂，马上相揖，因之谤议喧然，遂沈废终身。其不相阋如此。”[②] 据此亦可推知“芳林十哲”在士人心目中的地位。

“芳林”与士子的进身

“芳林”之事，实际上即指两军之事。

《唐摭言》卷九《芳林十哲》标题之下，自注曰：“今记得者八人。”其名为沈云翔、林绚、郑玘、刘业、唐珣、吴商叟、秦韬玉、郭薰，王定保随后说道：“咸通中自云翔辈凡十人，今所记者有八，皆交通中贵，号芳林十哲。芳林，门名，由此入内故也。”

芳林门在何处，徐松《唐两京城坊考》有说明，卷一“三苑”曰：“禁苑者，隋之大兴苑也。东拒浐，北枕渭，西包

① 《唐语林》卷七亦载此事，唯黄郁作“华郁”。

② 此事原载《唐摭言》卷九《误掇恶名》，《雅雨堂丛书》本作“华京”，《太平广记》卷一八三引《摭言》，则作“叶京”。

汉长安城，南接都城。东西二十七里，南北二十三里，周一百二十里。正南阻于宫城，故南面三门偏于西苑之西。旁西苑者芳林门，次西景曜门，又西光化门。”芳林门下注曰：“唐末有‘芳林十哲’，谓自此门入交中官也。亦谓之芳林园。元和十二年，置新市于芳林门南。”因为宦官的办事机构内侍省位于太极宫西、掖庭宫南，自芳林门南下，就可以从西边进入内侍省中。

上述八人中，大约要以秦韬玉的创作成就为最高。《贫女》一诗，还被蘅塘退士选入《唐诗三百首》中，因而名声传播甚广，这里不妨把这首诗引用于下。

> 蓬门未识绮罗香，拟托良媒益自伤。
> 谁爱风流高格调，共怜时世俭梳妆。
> 敢将十指夸针巧，不把双眉斗画长。
> 苦恨年年压金线，为他人作嫁衣裳。

王定保在介绍秦韬玉的出身时说：“京兆人，父为左军军将。”这一职务社会地位不高，所以秦韬玉在《贫女》诗中有自伤贫薄、怀才不遇之感。看来他本想倚仗自身的本领，通过科举进入仕途，然而处在混乱的晚唐政局之中，却无法求得正常的发展。

《唐语林》卷七曰：

> 秦韬玉应进士举，出于单素，屡为有司所斥。京兆尹杨损秦复等列，时在选中。明日将出榜，其夕忽叩试院门，大声曰："大尹有帖！"试官沈光发之，曰："闻解榜内有人，曾与路岩作文书者，仰落下。"光以韬玉为问，损判曰："正是此。"

秦韬玉与路岩的关系已经不可尽知，但秦韬玉因出身寒门之故，"屡为有司所斥"，这就不能不使人感到愤慨难平。他在《贵公子行》之后半中说："主人公业传国初，六亲联络驰朝东。斗鸡走狗家世事，抱来皆佩黄金鱼。却笑儒生把书卷，学得颜回忍饥面。"可见他心情之激愤，处境之艰苦。秦韬玉文才出众，却不得不依仗宦官的权势谋取功名，这是时代的错误，也是个人的悲剧。"蓬门未识绮罗香，拟托良媒益自伤"，事非得已，自哀自怜，这里有他卑污的一面，也有值得同情的地方。

秦韬玉出身于左军军将的家庭，在科举途中屡遭挫折之后，终于回到依靠"两军"的道路上来。《唐才子传》卷九本传上说："韬玉少有词藻，工歌吟，恬和浏亮。慕柏耆为人。然险而好进，谄事大阉田令孜。巧宦，未期年官至丞郎，判盐铁，保大军节度判官。僖宗幸蜀，从驾。中和二年，礼部侍郎归仁绍放榜，特敕赐进士及第，令于二十四人内安排，编入春榜。"《唐诗纪事》卷六十三叙秦韬玉之史实时也提到这些事情，然而语气没有这么严厉，最后说他名列榜中，"韬玉以书谢新人，呼同年略曰：'三条烛下，虽阻文闱，数仞墙边，幸同恩地。'"悻悻之声如闻，抒发了压抑多时的不平之气。

宦官把持朝政，历时甚久。这一批人虽有权势，然而社会地位向来不高，这时又把中晚唐的政局搞得乌烟瘴气，也就必然会引起上下各色人等的痛恨。那些交结两军的士人，自然要为儒林所不齿了。但上述情况表明，这时的社会不能为有才华的士人提供正常的发展机会，也是迫使他们走上邪路的客观原因，所以身历晚唐五代的黑暗年代、深知科举场中种种弊端的王定保在介绍"芳林十哲"后沉重地说："然皆有文字。盖礼所谓君子达其大者远者，小人知其近者小者，得之与失，乃不能纠别淑慝，有之矣，语其蛇豕之心者，岂其然乎！"

王定保叙"芳林十哲"的名字，只"记得者八人"，所佚二人，其一当是罗虬。[①]《唐语林》卷三曰：

> 刘允章祖伯刍，父宽夫，皆有重名。允章少孤自立，以臧否为己任。及掌贡举，尤恶朋党。初，进士有“十哲”之号，皆通连中官，郭纁、罗虬皆其徒也。每岁，有司无不为其干挠，根蒂牢固，坚不可破。都尉于琮方以恩泽主盐铁，为纁极力，允章不应，纁竟不就试。比考帖，虬居其间，允章诵其诗，有“帘外桃花㶿熟红”，不知“熟红”何用？虬已具在去留中，对曰：“《诗》云：‘关关雎鸠，在河之洲；窈窕淑女，君子好逑。’侍郎得不思之？”顷之唱落，众莫不失色。

《唐诗纪事》卷六十九叙罗虬曰：“广明庚子乱后，去从鄜州李孝恭。籍中有杜红儿者，善歌，常为副戎属意。副戎聘邻道，虬请红儿歌而赠之缯彩。孝恭以副戎所盼，不令受所贶。虬怒，拂衣而起。诘旦，手刃红儿。”可知此人凶暴浮躁，秉性不良。这或许也是“芳林十哲”中人或多或少具有的特点吧。

---

① 徐松《登科记考》卷二十三咸通九年叙知贡举刘允章时已叙及。

郭缥即郭薰。郭薰依仗于琮的权势应试被黜，同见上述《唐摭言》叙“芳林十哲”的一段记叙之中。但他通过中官应试之事，则未见详细记载。

“十哲”的不同涵义

“十哲”一名，唐代习用。杜佑《通典》卷五十三“吉礼”十二《孔子祠》条记“开元八年，敕改颜生等十哲为坐像，悉应从祀。曾参大孝，德冠同列，特为塑像，坐于十哲之次”。“十哲”即孔门十大弟子颜渊、闵子骞、冉伯牛、仲弓、宰我、子贡、子有、子路、子游、子夏。皮日休《请韩文公配飨太学书》曰：“曾参之孝道，动天地，感鬼神。自汉至隋，不过乎诸子；至于吾唐，乃旌入十哲。”这是因为朝廷后来又把颜渊升为孔子的副座，而把曾参正式列入十哲之中。《新唐书》卷十五《礼乐志五》曰：“上元元年，尊太公为武成王，祭典与文宣王比，以历代良将为十哲像坐侍。秦武安君白起、汉淮阴侯韩信、蜀相诸葛亮、唐尚书右仆射卫国公李靖、司空英国公李勣列于左，汉太子少傅张良、齐大司马田穰苴、吴将军孙武、魏西河守吴起、燕昌国君乐毅列于右，以良为配。”唐末兴起的士林“十哲”之称，当是民间仿效这种文武“十哲”的命名而产生的。起初或因附会京兆府解送“十人为等第”之称而成。赵磷《因话录》卷三商部下记大和六年唐特替京兆府试进士官，注云：“时重十人内为等第。”《唐摭言》卷二《京兆府解送》曰：“神州解送，自开元、天宝之际，率以在上十人，谓之等第。必求名实相副，以滋教化之源，小宗伯倚而选之，或至浑化；不然，十得其七八。”所以王定保在同卷《为等第后久方及第》中“论曰：……若乃大者科级，小者等列，当其角逐文场，星驰解试，品等潜方于十哲，春闱断在于一鸣”。结合上述诸人的情况来看，这种称呼也就带有嘲弄的意味，大约出于一些尖刻的文人的创造，是对那些虽有文才然而屡试不爽的人既有揶揄又抱不平的一种俏皮称呼。

《唐摭言》卷十《海叙不遇》曰：

> 张乔，池州九华人也。诗句清雅，夐无与伦。咸通末，京兆府解，李建州时为京兆参军主试，同时有许棠与乔，及俞坦之[①]、剧燕、任涛、吴宰、张蠙、周繇、郑谷、李栖远、温宪、李昌符，谓之“十哲”。

① 俞坦之为“喻坦之”之误。

同样内容，《唐诗纪事》卷七十叙任涛与张乔时也有记叙，而于张乔下叙“十哲”之后，加注曰：“十哲而十二人。”[①]明代胡震亨《唐音癸签》卷二十八又转引此文，称之为“咸通十哲”。《唐才子传》卷九叙郑谷时说：“谷诗清婉明白，不俚而切，为薛能、李频所赏。与许棠、任涛、张蠙、李栖远、张乔、喻坦之、周繇、温宪、李昌符唱答往还，号‘芳林十哲’。”不难发现，这段文字是从《唐摭言》和《唐诗纪事》中移录过来的，但辛文房删去了剧燕、吴罕二人的名字，以便与“十哲”的“十”字切合；前面又增加“芳林”一名，以便与《唐摭言》卷九中的记叙一致。然而细究起来，辛氏的这一番加工改写都与事实不合。

不论是仅记得八人名字的“芳林十哲”抑或咸通“十哲”中的十二人，都出自王定保的记叙。这些人物，尽管生卒年月不能全然考知，但有好几个人的登第年代可以考知，通过比较，不难看出这些人物和王定保都生活在晚唐五代，他们是同一时期的人。

按王定保生于唐懿宗咸通十一年（870），死于南汉刘龑大有十三年（940）。《直斋书录解题》卷十一《小说家类》

① 吴罕，此作“吴宰”，当系形近而误。

中之《摭言》提要曰“光化三年（900）进士”，和上述诸人的年代紧相衔接。王定保在《唐摭言》卷三《散序》中还介绍他撰写此书的经过，说他“乐闻科第之美，尝咨访于前达，间如丞相吴郡公扆、翰林侍郎濮阳公融、恩门右省李常侍渥、颜夕拜荛、从翁丞相溥、从叔南海记室涣，其次同年卢十三延让、杨五十一赞图、崔二十七籍若等十许人，时蒙言及京华故事，靡不录之于心，退则编之于简策”。足见他访求的面很广，积累了丰富的资料。

前引诸书记载，秦韬玉于中和二年（882）特赐及第，和王定保的登第之年仅相距十八年。郭薰倚仗于琮的权势应举，为刘允章黜落，时在咸通九年（868），和王定保的登第之年相距三十二年。又《唐摭言》叙“芳林十哲”时言郭薰事云：“郭薰者，不知何许人，与丞相于都尉向为砚席之交。及琮居重地，复绾财赋，薰不能避讥嫌，而乐为半夜客。咸通十三年（872），赵骘主文断，意为薰致高等；骘甚挠阻，而拒之无名。会列圣忌辰，宰执以下于慈恩寺行香，忽有彩帖子千余，各方寸许，随风散漫，有若蜂蝶，其上题曰：新及第进士郭薰。’公卿览之，相顾辗然，因之主司得以黜去。”则是郭薰在第一次失败之后，间隔四年，又遭到了另一次失败。这时相距王定保的及第之年，仅二十八年。

王定保对“芳林十哲”的记叙比较具体。这些人物原有十人，王定保仅记得八人，对于他们交通中贵的事迹，了解比较清楚。因此，五定保的这一记叙，不可能捕风捉影，应当可信。

咸通“十哲”中人的登第年代，《唐摭言》《郡斋读书志》《直斋书录解题》《唐才子传》等书上有所介绍。兹将有记载的几个人介绍如下：

李昌符，咸通四年（863）登第。[①]

许棠，咸通十二年（871）登第。[②]

周繇，咸通十三年（872）登第。[③]

郑谷，光启三年（887）登第。[④]

温宪，龙纪元年（889）登第。[⑤]

---

① 见《唐诗纪事》卷七十《李昌符》、《直斋书录解题》卷十九《李昌符集》一卷提要。有的学者据《唐摭言》卷十与《北梦琐言》卷十中的记载，以为李昌符久不登第，咸通四年或系十四年之误。此事尚待进一步考证。

② 见《唐诗纪事》卷七十《许棠》、《直斋书录解题》卷十九《许棠集》一卷提要。

③ 见《直斋书录解题》卷十九《周繇集》一卷提要。

④ 见《郡斋读书志》（袁州本）卷四中《云台编》三卷《宜阳外编》一卷提要、《直斋书录解题》卷十九《云台编》三卷提要、祖无择《郑都官墓表》（载《龙学文集》卷九，四库全书本）。

⑤ 见《唐才子传》卷九《温宪》。

张蠙，乾宁二年（895）登第。[1]

由此可见，李昌符与张蠙的登第之年相距达三十二年之久。这就说明，“十哲”中的十二个人并非同一时期的士子。即以许棠而言，与张蠙的登第之年相距亦达二十四年之久，周繇与张蠙的登第之年相距亦达三十二年之久。咸通一共只有十五年，因此，郑谷、温宪、张蠙三人登第之时均距咸通已远，用“咸通”这一年号来概括，未必恰当。

和“芳林十哲”的情况相同，当时或许有人曾把其中的某十个人称作“十哲”，有人则把另外十人称作“十哲”，“十哲”的内涵，本不固定，王定保则笼而统之，把那些曾经列名“十哲”中的人物全都列入。大约他是看到这些人物之间辗转都有诗文往还，也就不管人数多少，合称“十哲”的吧。

上述“十哲”，在科举考试中都有一段不得志的经历，有些人则一直到死未能登第。康軿《剧谈录》卷下：“自大中、咸通之后，每岁试春官者千余人，其间章句有闻者，亹亹不绝，如……贾岛、平曾、李陶、刘得仁、喻坦之、张乔、剧燕、许琳、陈觉，以律诗流传……皆苦心文华，厄于一

① 见《直斋书录解题》卷十九《张蠙集》一卷提要、《唐昭宗实录》（黄滔《唐黄御史集》附，《四部丛刊》影印明刊本）。

第。”《直斋书录解题》卷十九《诗集类上》载《张乔集》二卷，“唐进士九华张乔撰。乔与许棠、张蠙、郑谷、喻坦之等同时，号‘十哲’。乔试京兆，《月中桂树》擅场，传于今，而《登科记》无名，盖不中第也。”这是因为南宋之时还能见到唐代的《登科记》，所以陈振孙了解到“十哲”中的好几个人至死未能取得功名。这十二个人，在科举场中沉沦，情况是很可悲的。例如温宪，《唐诗纪事》卷七十记其事曰：

温宪员外，庭筠子也。僖、昭之间，就试于有司，值郑相延昌掌邦责也。以其父文多刺时，复傲毁朝士，抑而不录。既不第，遂题一绝于崇庆寺壁。后荥阳公登大用，因国忌行香，见之悯然动容。暮归宅，已除赵崇知举，即召之，谓曰：“某顷主文衡，以温宪庭筠之子，深怒嫉之。今日见一绝，令人恻然，幸勿遗也。”于是成名。诗曰：“十口沟隍待一身，半年千里绝音尘。鬓毛如雪心如死，犹作长安下第人。”

“十哲”中人的处境都很凄楚。他们在仕途上没有什么背景可言，更无依托中贵的任何记叙，因此辛文房在转述之时凭空按上“芳林”一词，把这一批人也称为“芳林十哲”，与事实不符。

辛文房在转述之时还删去了剧燕、吴罕二人。这两个人的诗作确很罕见，历史亦不详，《唐摭言》卷十《海叙不遇》叙剧燕曰："剧燕，蒲坂人也。工为雅正诗。王重荣镇河中，燕投赠王曰：'只向国门安四海，不离乡井拜三公。'重荣甚礼重。为人多纵，凌铄诸从事，竟为正平之祸。"看来"十哲"中人都有一些疏狂之气，所以人们合而称之的吧。剧、吴二人，时人将之纳入"十哲"之中，也是有其原因的。辛文房径加刊落，不见得有什么根据。

又辛文房在《唐才子传》卷十《张乔》中说："当时东南多才子，为许棠、喻坦之、剧燕、吴罕、任涛、周繇、张蠙、郑谷、李栖远，与乔亦称'十哲'。"这里却是删去了李昌符、温宪二人，保留了剧燕、吴罕二人。"十哲"之"十"虽有了着落，但其根据仍是不足的。

"十哲"一名，根据王定保的记叙，是在长安时期举子中间传播开来的。国人向来重视地域出身，当时有以地区性的称呼来概括文人集团的作风，如"吴中四子"等。徐松《登科记考》卷二十三咸通十二年进士四十人中列入许棠，举《永乐大典》引《池州府志》曰："张乔，字伯迁。时李频以参军主试，乔及许棠、张蠙、周繇皆华人，时号'九华四俊'。"辛文房说“当时东南多才子”云云，或许由此引起的吧。但在这十个人中，剧燕为蒲坂人，张蟟为清河人，均非“东南才子”。因此辛文房的这一假设，仍属捕风捉影的臆测之词。

（原载《唐代文学研究》，广西师范大学出版社 1990 年 10 月）

“唐十二家诗”版本源流考

明代刻“唐十二家诗”的人很多。胡应麟《诗薮》“外编”卷四说：“嘉、隆类刻《十二家唐诗》，盛行当世。”《行人司书目》中就著录有《十二家唐诗》一种，说明此书当时已经获得人们珍视而被收藏。这些总集还有好几种流传到现在。

“十二家”指王勃、杨炯、卢照邻、骆宾王、陈子昂、杜审言、沈佺期、宋之问、孟浩然、王维、高适、岑参。这些都是初唐和盛唐时期的著名诗人，他们的作品一直脍炙人口，赢得大量读者的喜爱。不难想到，后代如有一部总括上述诸人作品版本较好的总集出现，自然会吸引人们的注意。明代多次翻刻“唐十二家诗”的盛况，或许就是这么形成的。

明代刻过“唐十二家诗”的有：

嘉靖前期重印正德仿宋唐人诗集本

张逊业编黄埻东壁图书府嘉靖三十一年刊本

杨一统编万历十二年刊本

许自昌编霏玉轩万历三十一年刊本

郑能编闽城琅嬛斋万历年间刊本

汪应皋编万历年间刊本

此外有无其他“唐十二家诗”的刊本，现在就很难说了。就是上述各种，有的是否刻过，恐怕很多目录学家都会怀疑。特别是前面一种本子，因为书目上很少见到记载，传世者以单行的别集为多，因而更会引起人们的怀疑。下面介绍我所接触到的一些材料，叙述“唐十二家诗”各种版本的源流演变。下面分两部分论述。

正德年间刻的仿宋本唐人诗集
和嘉靖前期刻的“唐十二家诗”

首先得从《高常侍集》说起。目录书中常见有正德刊本《高常侍集》的记载，如：

朱学勤《别本结一庐书目》“旧板”：“《高常侍集》十卷。”注：“明正德刊本，一册。”

邵懿辰《四库简明目录标注》集部二、别集类一：“《高常侍集》十卷。”注：“明正德刊本，叶二十行，行十八字。”

莫友芝《郘亭知见传本书目》卷十二、集部二、别集类一：“《高常侍集》十卷。”注：“明正德中刻本，页二十行，行十八字。”

张允亮《故宫善本书目》第一“天禄琳琅现存书目”：“《高常侍集》一函四册。”注：“唐高適撰，十卷。明正德间刻本。”

这种正德年间刻的《高常侍集》十卷本和嘉靖年间刻的仿宋《高常侍集》十卷本极为相似，二者不但各种诗体编次都一样，而且行格刀刻都一样，甚至连未刻的缺字也相同，所以有些研究版本的人常是混为一谈，把正德本也看作嘉靖本，认为明代只有一种嘉靖仿宋本传世。

正德本和嘉靖本之所以相似，看来是出于一个版子的缘故。嘉靖本是剜改正德本而成的。拿正德本和嘉靖本比较，四处地方有出入：卷四《送虞城刘明府谒魏郡苗太守》诗中“极目无行车”句，正德本“目”作“日”。卷五《同鲜于洛阳于毕员外宅观画马歌》中“家僮愕视欲先鞭”句，正德本“愕”作“樗”；“始知物妙皆可怜”句，正德本“可”作“日”。卷六《使青夷军入居庸三首》诗题中之“入”字，正德本作墨钉。可见前此刻书时留下的一些显然的误字，后来都给改正了。除此之外，二者之间间或还有一些小的差异，如有的书页可能重刻过，板框大小略有出入；个别地方还有一些异体字的不同，但为数极少。这种明仿宋本后来又曾全部翻刻过一次。

看来这两种唐诗别集都是一组唐人诗集内单行的一种。许多书目上记载着的明仿宋刊《高常侍集》十卷，原来都是嘉靖本“唐十二家诗”中的一种，如瞿镛《铁琴铜剑楼藏书目录》卷十九：“《高常侍集》十卷，明刊本。”此书现藏北京图书馆。细察此书的行格刀刻，原来就是“唐十二家诗”中的一种。

作为别集的嘉靖仿宋本《高常侍集》流传还多，作为总集的嘉靖仿宋本“唐十二家诗”流传就少了。张允亮编《故宫善本书目》第二云：“唐十二家诗集，四十九卷，二十册。”书内夹有“明仿宋本，不著编人”“旧藏景阳宫”“原称唐人诗集”等藏签。这是一部很名贵的明刻唐人诗歌总集。

这种“唐十二家诗”内的各种集子行格刀刻都一样（前八家的集子和后四家的集子之间唯一的细小差异是前者书口作单鱼尾形），说明它们同出一源；既然这种仿宋刊本的《高常侍集》是利用正德年间的板片重印的，那么另外的十一种行格刀刻都一样的集子当然也有可能是利用正德年间的其他一些集子重印的了。有一种“唐十二家诗”就是采用经过剜改的旧板印行的。

但这里又产生了新的问题：正德年间有没有刻过这么多的唐人诗集呢？

郑振铎在明正德刊本《高常侍集》十卷跋尾中说：“一九五七年夏，曾在藻玉堂取得一部明正德刻本《王昌龄集》，凡三卷，每半页十行，行十八字，与此本正同。闻正德时，曾刻王、高、孟、岑四集，惜予仅得王、高二集。颇疑此种十行十八字本盛唐人集，当不止是四家，且似不限于盛唐一代。朱警刻的《唐百家诗集》亦是十行十八字。疑均出于南宋的书棚本。”（《西谛书目·题跋》）郑氏的介绍能够给人很多启发。他说正德年间曾刻王、高、孟、岑四集，当然是指王维、孟浩然、高适、岑参四家了，《四库简明目录标注》内正记有《王右丞集》的正德仿宋十卷本，二十行、十八字，应当就是其中的一种。郑氏在得到《高常侍集》之后又得到《王昌龄集》，也就说明这时刻的决不止上述四家。《王昌龄集》不在“唐十二家诗”之内。这就说明正德年间刻的是一部规模很大的唐人诗歌总集，这里的许多集子后来失传了，但我们可以根据这个线索去搜求识别。嘉靖年间有人挑选了十二家诗加以重印或翻刻，于是形成了后来一再重校梓行的“唐十二家诗”这一系统。

这些“唐十二家诗”刊于何地？传世有宋庐陵刘辰翁评点、明勾吴顾道洪参校之《孟浩然诗集》三卷，“凡例”称“余家藏《孟浩然诗集》凡三种，一、宋刻本；一、元刻本，即刘须溪批点者；一、国朝吴下刻本，即高、岑、王、孟等十二家者”。而是书《孟浩然诗集补遗》后有“万历丙子上元梁源山人顾道洪跋”。考万历四年之前刻于吴下的“唐十二家诗”，只能是这种嘉靖仿宋本。顾道洪是吴人，自然会接触到这种乡邦文献。

所谓“嘉靖”本的这一年代又是怎样判断的呢？版本学家当然可以根据书的版式、字体、纸张进行鉴定，此外还有一些材料可做证明。南京图书馆也藏有明仿宋刊本《高常侍集》一部，此书原出钱塘丁氏八千卷楼，丁丙《善本书室藏书志》卷二十四云：“《高常侍集》十卷，明刊本。”注：“前后无序跋，惟赋与诗八卷，文二卷。四库全书影宋钞本十卷本七绝无《听张立本女吟》一首，七律无程俱所作《重阳》一首，此皆有之。‘天禄琳琅’所收者即此本也。每叶廿行，行十八字，有‘春莺’、‘灌木草堂’印，又‘雨泉’一印颇旧，疑即万历间苏州陈方伯鎏所藏。”说明此书应当刊于万历之前、正德之后的嘉靖年间。再拿嘉靖三十一年出现的东壁图书府本和它比较，则又表明此书年代在前。因此，这部首次出现的“唐十二家诗”应当重印于嘉靖前期。

在此还应附带说明一下，过去目录书上标为正德年间刻本的这些唐人诗集，现在一些版本学家据其字体鉴定，认为不大可能出现于正德之时，应该说是嘉靖年间的刻本。但正德、嘉靖年代紧相衔接，因此这里仍然沿用各家书目上的记载，而在具体叙述时，则参照郑振铎的说明，称这一类书为正德本，又用“正德、嘉靖间”或“嘉靖前期”之类较有弹性的说法介绍其年代。

东壁图书府本“唐十二家诗”及其他

东壁图书府本“唐十二家诗”前署“永嘉张逊业有功校正，江都黄埻子笃梓行”。《善本书室藏书志》卷三十九录存此书，并注曰：“卷末有同阅姓名，如陈鹤、史起蛰、张衮、方可立、王应辰、闻得仁、王一夔、张逊肤、王叔果、王叔杲、朱廷栋、方九叙、谢敏行、沈仕、朱永年、侯一麟、黄一鹏、张郇、张承明，半皆杭人，盖当时刊版于杭州也。”这是出现于东南地区的第二部“唐十二家诗”。

和嘉靖前期的那部“唐十二家诗”比较，此书已经变易格式，版口增加了双鱼尾，每页上端中缝刻“东壁图书府”五字，下端中缝刻“江郡新绳”四字，行格也改成了每半页九行，行十九字。变动特别大的地方是把原来的多卷本一律改成上、下二卷本，删去了各家集子中原有的序言和散文部分，如把《高常侍集》中的两卷“文”删掉，并把剩下的八卷“诗”再分成了上、下二卷。

嘉靖前期刊本“唐十二家诗”中原有“序”，如《杜审言集》有庐陵杨万里序，《孟浩然集》有宜城王士源序、韦滔重序，《岑嘉州集》有京兆杜确序，《王摩诘集》有王缙的《进王摩诘集表》，这些地方保留着宋本的原始面貌。又如王、杨、卢、骆、陈、杜、宋集二卷，沈集三卷，孟集四卷、王集十卷（诗六卷、文四卷），高集十卷（诗八卷、文二卷），岑集八卷，这些集子绝大多数都有较好的宋本作为依据。目录书上常见有十行十八字之宋本，一般都标“书棚本”，郑氏大约就是根据这些情况做出判断的。临安书棚陈氏所刻唐人诗集，不但数量众多，而且书铺主人于此本有修养，故而质量也有可观。但这类书的编次比较简拙，诗体分类一般不太细密，前后编排也无次序，东壁图书府本于此做了整理和加工，所有诗歌都归入各种诗体之中，诗体又按五言在前、七言在后，古诗在前、律绝在后的次序重新做了编排，个别诗题之下还附上了有关考订的小注，有些诗歌则增加了相关的内容，如王勃的《滕王阁》诗就增加了著名的“序”。

但从文字内容上来考察，东壁图书府本的主要依据应当就是上述的那部嘉靖仿宋本“唐十二家诗”。这里仍以《高常侍集》为例，试用比较的方法进行论证。下面从四部丛刊据之影印的那部明铜活字刊本《高常侍集》中举些例子。该书卷六有《淇上别业》一诗，四库全书本《高常侍集》和原藏士礼居的一部清初仿宋精钞本《高常侍集》均有此诗，但改属卷五，而正德、嘉靖间仿宋本《高常侍集》不载，东壁图书府本亦不载。卷六《宴郭校书因之有别》中“芸香□早著”一句，空白内补字有三种情况，“伯二五五二敦煌唐诗选残卷”中此字作“业”，四库全书本和清初仿宋精钞本作“功”，正德、嘉靖间仿宋本作“名”，东壁图书府本亦作“名”。其他许多地方也都出现这种情况，东壁图书府本的文字同于正德、嘉靖间仿宋本者为多，同于四库全书本和清初仿宋精钞本者为数很少，于此可见东壁图书府本主要是依据嘉靖前期的这部“唐十二家诗”校刻的。

再如铜活字本《高常侍集》卷五《崔司录宅燕大理李卿》一诗内“饮醉欲言归□□”一句，正德、嘉靖间仿宋本亦缺二字，清初仿宋精钞本作“□□饮醉欲言归”，四库全书本则作“夜深饮醉欲言归”，东壁图书府本与之都不相同，空白补刻的是“剡溪”二字，这两个字颇堪玩味，看来就是张逊业等人自己补进去的。因为他们对四库全书本系统的集子似乎不大接触，而前此的“唐十二家诗”系统的本子中此二字又无所依据，因此这里可能就是以意为之添补足句的了。凡以前各家集子中缺字的地方，东壁图书府的本子中都给补上了，这里定会有主观臆断的地方。但看来张逊业等人的态度还算郑重，因为高适集子中另有《秦中送李九赴越》一诗，内有“吴会独行客，山阴秋夜船；谢家徵故事，禹穴访遗编”等句，张逊业等人大约认为“李卿”和“李九”是同一个人，所以给补上了“剡溪”二字，说明他们费过一番揣摩的功夫；殊不知李九当是曾在京兆府任职之李九士曹，京兆府和大理寺是不同的衙门，这又表明张逊业等人所补进去的字不尽可信，有臆测妄断的缺点。

于此可见：从校勘的角度来说，嘉靖前期仿宋本“唐十二家诗”价值更高。

但东壁图书府本经过多人整理，看来一时声誉很高，所以后来据之翻刻的人很多。

万历十二年有杨一统的再刻本。孙仲逸序曰：“江都之刻，不数载已复初木，余友人杨允大再刊于白下，而校加精焉。”所以这种“唐十二家诗”又称南州杨一统白下重刊本。此书版式字体又已变化：版口只署书名，四周单边，行间无墨线，写体字，每半页九行，行二十字。全集共分十二卷，即人各一卷。卷首“唐诗十二名家叙略”称“南州杨一统允大校阅，江东孙伯履公素、姑苏丘陵子长、江东孙仲逸野臣、关中李本芳元荣同阅”，而实由各家分校。计：杨一统校《王勃集》《杨炯集》《卢照邻集》，孙伯履校《骆宾王集》《陈子昂集》《杜审言集》，孙仲逸校《沈佺期集》《宋之问集》《孟浩然集》《王维集》，丘陵校《高适集》，李本芳校《岑参集》。《郘亭知见传本书目》卷十二《高常侍集》下和《四库简明目录标注》内《高常侍集》“续录”下俱注有“明上陵校刻本”，“上”系“丘”之误，二者形近致误。

万历三十一年又有许自昌的《前唐十二家诗》问世。在翻刻“唐十二家诗”的人中，许氏算是一位较为知名的文人。自昌，字玄祐，别署梅花墅、梅花主人，江苏吴县人，著有《卧云稿》一卷，《樗斋漫录》十二卷，撰有《水浒记》、《橘浦记》、《灵犀佩》（一云王异撰）等传奇多种，改订过《玉茗堂批评种玉记》《玉茗堂批评节侠记》各两卷。他还喜欢刻书，曾经刻过《太平广记》和李、杜、皮、陆诗。《前唐十二家诗》前有“万历癸卯孟夏长洲许自昌书”之序，集前并署“长洲许自昌玄祐甫校”。但他似乎偏长诗文词曲，校勘水平则平平而已。因此，许刻《前唐十二家诗》内容差不多全同于东壁图书府本。

其后又有郑能重镌的《前唐十二家诗》出现。此书似乎印过两次，一本卷末多一牌记，上云“闽城琅嬛斋版，坊间不许重刻”。这个集子还录有许自昌的序，而书前署称“晋安郑能拙卿重镌”，版式同许书，说明它是根据许自昌的本子重刻的，然而仍属东壁图书府本系统。全集共二十四卷，即人各二卷，与许刻同，与东壁图书府本同。

不知在许、郑本之前抑或其后，还有另一种“唐十二家诗”出现。此书行格也是半页九行，行十九字，与东壁图书府本、许自昌刊本、郑能重镌本同。王重民编《美国国会图书馆藏中国善本书录》卷八有《岑嘉州集》二卷，注：“此本疏朗悦目，校其内容，疑为从东壁图书府本出者。卷内题：‘海阳汪应皋汝择父校梓、汪应学汝行父同校。’海阳盖指休宁。余检休宁、歙县、婺源等县志，并无其人；又检广东、山东两《海阳县志》，亦不获二汪事迹。玩原书纸墨，当是万历间印行。下卷自四十九叶以后佚去，书贾畏其残阙，因取《孟浩然集》残叶，蠹去版心书题与叶数以补之。然因此得知孟集曾与是集同刻，而更示吾人以二汪或曾有东壁图书府‘唐十二家诗’翻本，此其残帙也。”汪应皋本“唐十二家诗”全帙虽罕见，然所属各家别集仍有传世者，例如邓邦述《群碧楼善本书录》卷三中就记载有王（汪字之误）应皋校梓之《高常侍集》二卷，台湾《中央图书馆善本书目》集部别集类有《沈佺期集》二卷一册，《宋之问集》二卷一册，均署明海阳汪应皋校刊本，可证王氏做出的假设符合事实。它是别出手上述各种“唐十二家诗”的又一种本子。

隆庆四年，则有由此派生的《十二家唐诗类选》一种行世。全书十六卷，半页九行，行二十一字，写刻本。前有类辑者河东何东序所撰之自序。东序字崇教，号肖山，猗氏县人，嘉靖三十二年进士，详见康熙时潘铖纂辑、宋立树重辑之《猗氏县志》卷五“人物”门。是书由江右刻工刻于保州，甚精美。又这一类书中还有明陆汴辑《广十二家唐诗》八十一卷行世。

综合上言，可知明刻“唐十二家诗”盛况空前，后人一再加工梓行，对校勘和保存古代文献起了很好的作用。只是明代距离现在也已很久了，有的总集东流西散，甚至远播海外，断简残编，使人难于看到各种版刻的全貌。这篇小文，就想在目验多种善本和钩稽各种材料之后，略予辨证，起到补苴罅漏的作用。

叙“唐十二家诗”版本源流既竟，更制一表以清眉目。又因上述各种总集内的各家集子都曾以别集行世，故而详列各家行格，读者自可按表检识。

“唐十二家诗”版本源流表

书名	编者	刻印年代	刻印地点与单位	行格	源流
唐十二家诗		嘉靖前期	吴下（苏州）	十行十八字（17.5×12.3）	重印或翻刻正德间唐人诗集主要依据上书校编
唐十二家诗	张逊业	嘉靖三十一年	杭州·东壁图书府	九行十九字（18.5×12.2）	
唐十二家诗	杨一统	万历十二年	白下（南京）	九行二十字（19.8×13.0）	重刊东壁图书府本
前唐十二家诗	许自昌	万历三十一年	长洲·（苏州）霏玉轩	九行十九字（22.0×13.8）	重刊东壁图书府本
前唐十二家诗	郑能	万历年间	闽城·琅嬛斋	九行十九字★（22.0×13.6）	重镌许自昌本
唐十二家诗	汪应皋	万历年间		九行十九字（17.6×12.0）	重刊东壁图书府本

★许自昌本的板框作左右双边，郑能本则作左右单边。

（原名《谈〈唐十二家诗〉》，

载《学林漫录》第2集，1981年3月）

从“唐人七律第一”之争看文学观念的演变

严羽《沧浪诗话》之评李白、杜甫，于二人并列处，总是不分轩轾，下笔极有分寸。例如他在《诗评》部分中说：“李杜二公，正不当优劣。太白有一二妙处，子美不能道；子美有一二妙处，太白不能作。”“子美不能为太白之飘逸，太白不能为子美之沈郁。太白《梦游天姥吟》《远离别》等，子美不能道；子美《北征》《兵车行》《垂老别》等，太白不能作。论诗以李、杜为准，挟天子以令诸侯也。”

严羽的这番议论，结合所举的代表作品一起加以考察，可以看出他对二人的诗歌确是体会很深，已经掌握到了二人使用不同的创作方法而产生的特点，以及由他们不同的生活经历和个性特点而形成的风格差异。这样的“诗评”，对于后来的读者，确能起到启发指导的作用。

但这里还可探究的是：严羽对李、杜二人的评价，难道真能如水之平？字里行间，有没有透露出一丝抑扬之意？

检阅《沧浪诗话》全书，研究严羽对诗歌总的见解，也就可以体会到，他是偏爱李白而对杜甫有所贬抑的。

问题可从另一方面谈起。《沧浪诗话·诗评》中说：唐人七言律诗，当以崔颢《黄鹤楼》为第一。这一首诗，曾经留下一件传播很广的轶事，《唐才子传》卷一“崔颢”曰：“后游武昌，登黄鹤楼，感慨赋诗。及李白来，曰：‘眼前有景道不得，崔颢题诗在上头。’无作而去，为哲匠敛手云。”说明此诗水平之高，甚至彻底压倒了“仙才”李白，而严羽视李白如唐诗“天子”，“天子”低头臣服之作，当然可以享七言律诗“第一”的盛誉了。

其后李白作《登金陵凤皇台》诗，其格律气势与崔颢《黄鹤楼》诗相仿佛，宋人传说这是李白的拟作，似属可信。傲岸好胜如李白，一时气馁之后，处心积虑，卷土重来，定要较量一番，也在情理之中。但由此更可看到李白对《黄鹤楼》诗的倾倒了。

这两首诗的谁高谁下，历代文人纷争不已，但见仁见智，也很难做出绝对化的判决。不过李白之所以定要在这首诗上争个高下，却是因为在他擅长的写作手法上崔颢竟然取得了杰出的成就，使他自己也难乎为继，因而耿耿于怀，定要“捶碎黄鹤楼”才感到痛快的吧。

自从严羽推崔颢《黄鹤楼》诗为唐人七律第一之后，后人一再提出另外的名篇来争夺这桂冠，如何景明、薛蕙推沈佺期《古意》（卢家少妇郁金堂）为第一，胡应麟和潘德舆以杜甫《登高》（风急天高猿啸哀）为第一……于是又像争论崔、李二作谁高谁下一样，引起了一场难以做出明确答案的纠纷。然而从这些争鸣者的不同见解之中，却正可以看出不同时代的文人文学观念的演变。

前人早就指出，崔颢此诗全仿沈佺期《龙池篇》。沈诗云："龙池跃龙龙已飞，龙德先天天不违。池开天汉分黄道，龙向天门入紫薇。邸第楼台多气色，君王凫雁有光辉。为报寰中百川水，来朝此地莫东归。"比较起来，崔颢此诗自当有出蓝之誉。因为沈诗凝重滞涩，崔诗空灵超迈，不论在思想内容或形式技巧上，均相去甚远。只是崔、李等诗确是从沈诗中脱胎出来的。而沈、宋写作的近体诗，正显示出紧接六朝而来的所谓“初唐”时期的特点。

众所周知，唐代是我国诗歌创作的黄金时代，到了这时，旧体诗中的几种体式都已齐备，而且都已趋于成熟。五言和七言的古体诗自不必说，近体诗中的五言律绝和七言律绝，也已一一趋于定型。而在这些诗体中，应该把七言律诗看作唐代诗歌中最有代表性的一种文体。因为五言诗在前代，尽管在声律上不能全然调谐，但因制作者多，内中自有不少暗与理合的作品；而自永明声律说兴起后，自有一些据此写出的成功之作。七言绝句，因为接近口语，在民间文学中已经出现，在六朝文人的集子中也已出现。只有七言律诗，因为声律和对仗上要求严，成功的诗作，一定要在人工上见天巧，也就需要更多的时间才能趋于成熟。可以说，只是到了杜甫的律诗出现之后，才算是达到了全然成功的最后阶段。

严羽在《沧浪诗话·诗法》中说："律诗难于古诗。"他不在其他体裁的诗歌中评比最佳作品，只在七律中遴选出登峰造极之作，大约也是以为七律可以作为唐诗的代表体裁而有此一举的吧。

但他挑选出来的这首《黄鹤楼》诗，并不是七律的典范作品，因此只收古诗的《唐文粹》中也将这诗收入。许印芳于《诗法萃编》本《沧浪诗话·诗体》内此诗之下加按语曰："此举前半散行，用古调作律体者。"这是不难看出的。此诗前半是古风的格调，后半才是律诗的格调。前面四句中，平仄与正规的平起式不合，三、四句还不用对仗，"黄鹤"一词又连用了三次，这些都是与律诗，甚至是一般的诗歌，在体式和作法上不能相容的。但这四句"词理意兴"俱臻上乘，所以仍然被人叹为绝唱。

可也正是这些诗句，其成功之处，符合严羽诗学上的要求，从而能够得到他的高度赞赏。这就值得深入体察。

《诗评》中说："太白发句，谓之开门见山。"崔颢《黄鹤楼》诗前四句，正是开门见山的范例。

《诗评》中说："观太白诗者，要识真太白处。太白天才豪逸，语多率然而成者。"崔颢《黄鹤楼》诗前四句，一气喷薄而出，真是"率然而成"，绝不是苦心构拟者能够拼凑得出来的。

《诗评》中说："汉魏古诗，气象混沌，难以句摘。"崔颢《黄鹤楼》诗中前四句，用这八个字来品评，也就显得特别合适。

于此可见严羽论诗的真谛。他提倡盛唐诗，实际说来，可并不赞成杜甫那种精工得当、纯熟之极的七律，而是欣赏那种保留着汉魏古诗中浑朴气象的诗歌。李白的诗歌中保留汉魏的成分要比杜甫的诗歌多得多，所以严羽一而再地称赞李白这方面的优点。崔颢的诗歌，从总体来说，其水平自不如李白之作，然而《黄鹤楼》诗却是集中地体现出了这方面的长处，所以李白表示钦佩，严羽则誉之为唐人七律第一了。

《诗评》中又说："建安之作，全在气象，不可寻枝摘叶。灵运之诗，已是彻首尾成对句矣，是以不及建安也。”说明他把“彻首尾成对句”的作品视为逊于“不可寻枝摘叶”者一筹。这种评价，自然是对古诗而言的，讨论近体诗时，并没有表露过同样的论调，但他既以崔颢《黄鹤楼》诗为唐人七律第一，这诗的前半又真是“不可寻枝摘叶”者，那就只能说严羽的这种美学标准仍在起着作用，他的态度非常执着，鉴赏近体诗时，同样追求“气象混沌，难以句摘”的情趣。可以推知，他对那些“彻首尾成对句”者，如杜甫的《登高》一诗，自然不会把它作为“唐人七律第一”的应选之作看待的了。

《诗评》中还说：“苏子卿诗：‘幸有弦歌曲，可以喻中怀。请为游子吟，泠泠一何悲。丝竹厉清声，慷慨有余哀。长歌正激烈，中心怆以摧。欲展清商曲，念子不能归。’今人观之，必以为一篇重复之甚，岂特如《兰亭》‘丝竹管弦’之语耶。古诗正不当以此论之也。”这种意见也可用来说明上述观点。崔颢《黄鹤楼》诗中的前四句，用词的重复，语意的稠叠，他都不以为病，而是尽情崇扬，这里也是执意追求“古诗”妙处的缘故。与此相反，那些尽力避免“重复”而变换词汇、编排字句等技巧，也就不一定会成为优点而博得他的青睐了。

《诗评》中还说：“《十九首》：‘青青河畔草，郁郁园中柳。盈盈楼上女，皎皎当窗牖。娥娥红粉妆，纤纤出素手。’一连六句，皆用叠字，今人必以为句法重复之甚。古诗正不当以此论之也。”反观崔颢《黄鹤楼》诗，八句之中，也一连出现了“悠悠”“历历”“凄凄”三叠。严氏不“以为句法重复之甚”，恐怕也是“古诗正不当以此论之也”这种观点在起作用。

以上三例说明，严羽对汉魏古诗的分析，与他对唐诗的评价，又有声息相通而可以互证的地方。

在《诗体》部分，严羽对诗歌的形式做了详细的分析。他对各种句式没有发表什么喜恶之见，只是做了客观的介绍，但他欣赏的一些诗句，却也曾作为例句而提出。其中提到有“十四字句”，自注：“崔颢‘黄鹤一去不复返，白云千载空悠悠’；又太白‘鹦鹉西飞陇山去，芳洲之树何青青’是也。”这些例句，都是原诗中的颔联，照常规说，应该有严格的对仗，而他对此却不加考虑，还把它们作为标准句式提出，这样做，也就说明他不重视律诗的特点，硬把古诗的美学标准羼入到了这一领域中去。除此之外，他又提出“有律诗彻首尾对者”，自注：“少陵多此体，不可概举。”胡鉴《沧浪诗话注》曰：“杜少陵《登高》一首是也。”参照严羽的上述见解，即评价律诗时经常运用古诗的标准，也就可以推知，严羽对此自然不会评价太高的了。

应该说明，严羽的扬李抑杜，在《沧浪诗话》中没有明确地表示过，本文做出这个结论，是对严羽的文学观念从根本上加以探讨之后才提出的。在字面上，每当提到李、杜时，总是左提右挈，似无抑扬之意，但他的艺术趣味却在潜意识地起着作用，所以讨论到其他文学问题，阐述美学标准之时，也就透露出了意向之所在。他的喜好确是偏于李白的创作特点而并不在杜甫这一边的。

关于李白、杜甫诗歌创作水平的高下，自唐代中期起，就已有人对此进行比较研究了。元稹、白居易继承的是杜甫诗歌现实主义的创作传统，因而持扬杜抑李之论，他们不但从思想内容方面着眼而批评李白，而且从形式技巧方面着眼而褒扬杜甫。白居易《与元九书》曰："杜诗最多，可传者千余首；至于贯串今古，覼缕格律，尽工尽善，又过于李。"元稹《唐故工部员外郎杜君墓系铭并序》曰："时山东人李白，亦以奇文取称，时人谓之李、杜。予观其壮浪纵恣，摆去拘束，摹写物象，及乐府歌诗，诚亦差肩于子美矣。至若铺陈终始，排比声韵，大或千言，次犹数百，词气豪迈，而风调清深；属对律切，而脱弃凡近，则李尚不能历其藩翰，况堂奥乎！"这样的评价，显然过于偏激，韩愈《调张籍》诗曰：“李、杜文章在，光焰万丈长。不知群儿愚，那用故谤伤？蚍蜉撼大树，可笑不自量。”说者以为此诗就是针对元稹论点而发，虽然找不到什么确凿的证据，但其矛头所指，如果说是针对与元、白持同一观点的妄事优劣者，却是不容置辩的。于此可见当时争论的尖锐了。

所谓“属对律切”，就是推崇杜诗在声律、对仗方面的工致。李白在诗歌的形式技巧上下过很大的功夫，诗中也有不少“属对律切”的典范之作，但他天才英特，所作运以灏气，使人读之不觉其工巧。也正因为他豪放不羁，不屑于停留在形式技巧的琢磨上，他的作品，也就并不以律诗见长。按李白今存诗作，古诗占十分之八稍弱，近体诗中，五律还有九十首左右，七律只有十首，内中一首还只有六句。《登金陵凤皇台》《鹦鹉洲》二诗，承崔颢《黄鹤楼》而来，也是介于古风和律诗之间的作品。反观杜甫，情况大不相同。他写了一百五十首左右的七律，不但在数量上超过了在此之前同一时代诗人所作的总和，而且在内容和形式上也做出了多方面的开拓。胡震亨《唐音癸签》卷十曰：“少陵七律与诸家异者有五：篇制多，一也；一题数首不尽，二也；好作拗体，三也；诗料无所不入，四也；好自标榜，即以诗入诗，五也。此皆诸家所无。其他作法之变，更难尽数。”说明杜甫于此确是费尽心力，因而后人都以为杜甫在七律这种体裁上创获最多。

不过杜甫也曾写作一些带有古风特点的七言律诗，如《崔氏东山草堂》等均是，但这情况与李白之作又有不同。杜甫写作这类作品，并不是不措意于“属对律切”，而是“脱弃凡近”，要在旧有规律之上更加表现出个人独到的功夫，这里毋宁说是具有卖弄他精于此道的意思。二人对七律的态度也就出入很大了。

韩愈大气磅礴，接近于李白的浪漫主义一派。宋初文人，如欧阳修等，接受韩愈的影响，也推崇李诗，但如王安石等人，已甚推崇杜甫之作。其后江西诗派出，在形式技巧上赋予更多的注意，于是杜甫的成就得到更大的宣扬。黄庭坚举夔州后诗为效法对象，而这正是杜甫“晚节渐于诗律细”后的纯熟之作。其后江西诗派声势日大，几乎主宰宋代诗坛，而杜甫在七律上取得的成就，也就成了毋庸置疑的定论。

严羽提倡诗宗盛唐，他在《沧浪诗话·诗辨》中说：“故予不自量度，辄定诗之宗旨，且借禅以为喻，推原汉魏以来，而截然谓当以盛唐为法。”自注：“后舍汉魏而独言盛唐者，谓古、律之体备也。”这番议论，清楚地表明了他之所以推尊杜甫的理由。因为盛唐诗体大备，而杜甫在各个方面都做出了杰出的贡献，前人对此早有“集大成”之称，严羽纵论盛唐一代诗歌，且以此为号召，自然不能不尊重事实，于是他在《诗评》中也说：“少陵诗，宪章汉魏，而取材于六朝；至其自得之妙，则前辈所谓集大成者也。”可见这里是就总体而言，同意前人结论，并不是对杜甫创作的各个方面都予以推崇。从他对诗歌创作上的一些具体看法来说，却是更为推崇李白的诗歌特点，这与他反对江西诗派的倾向也是一致的。

明清两代文人一般都推崇盛唐诗歌，受严羽《沧浪诗话》的影响很大。但是这里也经历着一段曲折的过程。明初高棅编《唐诗品汇》，《明史·文苑传》上说：“终明之世，馆阁以此书为宗。”可见其影响之巨。此书即宗严氏之说，以盛唐为唐诗的“正宗”“大家”“名家”“羽翼”。值得注意的是，李白的各体诗歌都被推为“正宗”，而杜甫却始终不能享有这种尊号。即如七律一体，李白也称“正宗”，而杜甫则称“大家”。显然，“正宗”乃是后人必须效法的宗师，“大家”则仅言其成就之大而已。《唐诗品汇》“七言律诗叙目”曰：“盛唐作者虽不多，而声调最远，品格最高。若崔颢，律非雅纯，太白首推其‘黄鹤’之作，后至‘凤皇’而仿佛焉。……是皆足为万世程法。”又曰：“少陵七言律法独异诸家，而篇什亦盛。”高棅的这种见解，倒真是得到了严羽论诗的心传的。

但是情况后来有了变化。学者如果真要以盛唐诗为楷模，把它作为效法的对象，却又不得不舍李而从杜。因为李白的诗无绳墨可循，很难遵从；杜甫的诗有格律可依，易于学习。于是明代中叶之后，杜甫的律诗也就声誉日高，诗家奉为不祧之祖，李白的律诗则不再受到重视，《登金陵凤皇台》诗更是因为不合律诗规格而受到忽视。如赵文哲《媕雅堂诗话》曰："七律最难。鄙意先不取《黄鹤楼》诗，以其非律也。……太白不善兹体，《凤皇台》诗亦强颜耳。"即其一例。

《沧浪诗话·诗评》曰："少陵诗法如孙、吴，太白诗法如李广。少陵如节制之师。"李广用兵，神妙莫测，故不可学。"节制之师"，有如程不识之将兵，以其有规矩可识，故可供人效法。严羽的这种意见，内部实际上包含着矛盾。他学诗重模拟，《诗法》中甚至说："试以己诗置之古人诗中，与识者观之而不能辨，则真古人矣。"但他举李白为供人效法的对象，则又怎能诱使后人遵从？难怪前后七子之后，逐渐背离其说。胡应麟《诗薮》"外编"卷四曰："李、杜二家，其才本无优劣，但工部体裁明密，有法可寻；青莲兴会标举，非学可至。又唐人特长近体，青莲缺焉，故诗流习杜者众也。"说明明代中叶之后，随着创作实践中的大势所趋，理论界也转而推崇杜甫的七律，崔颢《黄鹤楼》诗为唐人七律第一之说，也就随之被否决了。

年代较早的杨慎，虽然对严羽之说已有修正，但对《黄鹤楼》诗的成就还是维护的。《升庵诗话》卷十：“宋严沧浪取崔颢《黄鹤楼》诗为唐人七言律第一，近日何仲默、薛君采取沈佺期‘卢家少妇郁金堂’一首为第一，二诗未易优劣。或以问予，予曰：‘崔诗赋体多，沈诗比兴多。以画家法论之，沈诗披麻皴，崔诗大斧劈皴也。’”这种调停之论，后人也不能接受，一再遭到批驳。

胡应麟《诗薮》“内编”卷五推尊杜甫《登高》“为古今七律第一，不必为唐人七律第一”。他还具体申述道：“‘卢家少妇’体格丰神，良称独步，惜颔颇偏枯，结非本色。崔颢《黄鹤》，歌行短章耳。太白生平不喜俳偶，崔诗适与契合，严氏因之，世遂附和，又不若近推沈作为得也。”这里说明明人和宋人的文学见解已经格格不合。

胡应麟做进一步的分析，更能看清这一时代的人品评作品时兴趣何在。他说：“《黄鹤楼》、‘郁金堂’皆顺流直下，故世共推之。然二作兴会适超而体裁未密，丰神故美而结撰非艰。若‘风急天高’，则一篇之中句句皆律，一句之中字字皆律，而实一意贯串，一气呵成。骤读之，首尾若未尝有对者，胸腹若无意于对者；细绎之，则锱铢钧两，毫发不差，而建瓴走坂之势，如百川东注于尾闾之窟。至用句用字，又皆古今人必不敢道，绝不能道者。真旷代之作也。”这里正是着眼于《登高》一诗组织的工致而立论的。而胡应麟所反复称叹的，已是严羽视为低于“气象混沌”的“彻首尾成对句”者。可见明人的论诗，已与严羽的初衷不合。

综上所言，可以知道：严羽与明人虽然都推崇盛唐诗歌，但实质上却有很大的不同。严羽推重的唐诗，是指那些保留着很多汉魏古诗的写作手法而呈现出浑朴气象的诗歌；明人推重的近体诗，是指那些写作技巧全然成熟而表现为精工得当的作品。因此，这两种学说之间虽似一系相承，然而随着时代和创作潮流的演变，内涵已有不同。这是探讨我国诗歌发展史时应当注意的地方。

到了清代，明人的意见更是进一步得到了加强。大家的看法差不多已趋一致，论诗注重格律，强调的是诗体之正。潘德舆《养一斋诗话》卷八首引严羽、何景明、薛蕙之说，又引杨慎两可之论，然后下判断说：“愚谓沈诗纯是乐府，崔诗特参古调，皆非律诗之正。必取压卷，惟老杜‘风急天高’一篇。气体浑雄，剪裁老到，此为弁冕无疑耳。……至沈、崔二诗必求其最，则沈诗可以追摹，崔诗万难嗣响。崔诗之妙，殷璠所谓‘神来、气来、情来’者也。升庵不置优劣，由其好六朝、初唐之意多耳。尤西堂乃谓崔诗佳处止五六一联，犹恨以‘悠悠、历历、凄凄’三叠为病。太白不长于律，故赏之；若遭子美，恐遭‘小儿’之呵。嘻！亦太妄矣。”然而不管潘氏的语气何等婉转，崔颢《黄鹤楼》一诗，以其不合明清人对七律的要求，从头到尾遭到指摘，已是无可挽回的趋势。严羽以盛唐为法的真意，已被后代那些宗奉者扬弃了。

（原载《文学评论》1985 年第 5 期）

国家新闻出版广电总局
首届向全国推荐中华优秀传统文化普及图书

大家小书书目

国学救亡讲演录	章太炎 著 蒙 木 编
门外文谈	鲁 迅 著
经典常谈	朱自清 著
语言与文化	罗常培 著
习坎庸言校正	罗 庸 著 杜志勇 校注
鸭池十讲（增订本）	罗 庸 著 杜志勇 编订
古代汉语常识	王 力 著
国学概论新编	谭正璧 编著
文言尺牍入门	谭正璧 著
日用交谊尺牍	谭正璧 著
敦煌学概论	姜亮夫 著
训诂简论	陆宗达 著
金石丛话	施蛰存 著
常识	周有光 著 叶 芳 编
文言津逮	张中行 著
经学常谈	屈守元 著
国学讲演录	程应镠 著
英语学习	李赋宁 著
中国字典史略	刘叶秋 著
语文修养	刘叶秋 著
笔祸史谈丛	黄 裳 著
古典目录学浅说	来新夏 著
闲谈写对联	白化文 著
汉字知识	郭锡良 著
怎样使用标点符号（增订本）	苏培成 著
汉字构型学讲座	王 宁 著

诗境浅说	俞陛云　著
唐五代词境浅说	俞陛云　著
北宋词境浅说	俞陛云　著
南宋词境浅说	俞陛云　著
人间词话新注	王国维　著　滕咸惠　校注
苏辛词说	顾　随　著　陈　均　校
诗论	朱光潜　著
唐五代两宋词史稿	郑振铎　著
唐诗杂论	闻一多　著
诗词格律概要	王　力　著
唐宋词欣赏	夏承焘　著
槐屋古诗说	俞平伯　著
词学十讲	龙榆生　著
词曲概论	龙榆生　著
唐宋词格律	龙榆生　著
楚辞讲录	姜亮夫　著
读词偶记	詹安泰　著
中国古典诗歌讲稿	浦江清　著 浦汉明　彭书麟　整理
唐人绝句启蒙	李霁野　著
唐宋词启蒙	李霁野　著
唐诗研究	胡云翼　著
风诗心赏	萧涤非　著　萧光乾　萧海川　编
人民诗人杜甫	萧涤非　著　萧光乾　萧海川　编
唐宋词概说	吴世昌　著
宋词赏析	沈祖棻　著
唐人七绝诗浅释	沈祖棻　著
道教徒的诗人李白及其痛苦	李长之　著
英美现代诗谈	王佐良　著　董伯韬　编
闲坐说诗经	金性尧　著
陶渊明批评	萧望卿　著

古典诗文述略	吴小如　著
诗的魅力 ——郑敏谈外国诗歌	郑　敏　著
新诗与传统	郑　敏　著
一诗一世界	邵燕祥　著
舒芜说诗	舒　芜　著
名篇词例选说	叶嘉莹　著
汉魏六朝诗简说	王运熙　著　董伯韬　编
唐诗纵横谈	周勋初　著
楚辞讲座	汤炳正　著 汤序波　汤文瑞　整理
好诗不厌百回读	袁行霈　著
山水有清音 ——古代山水田园诗鉴要	葛晓音　著
红楼梦考证	胡　适　著
《水浒传》考证	胡　适　著
《水浒传》与中国社会	萨孟武　著
《西游记》与中国古代政治	萨孟武　著
《红楼梦》与中国旧家庭	萨孟武　著
《金瓶梅》人物	孟　超　著　张光宇　绘
水泊梁山英雄谱	孟　超　著　张光宇　绘
水浒五论	聂绀弩　著
《三国演义》试论	董每戡　著
《红楼梦》的艺术生命	吴组缃　著　刘勇强　编
《红楼梦》探源	吴世昌　著
《西游记》漫话	林　庚　著
史诗《红楼梦》	何其芳　著 王叔晖　图　蒙　木　编
细说红楼	周绍良　著
红楼小讲	周汝昌　著　周伦玲　整理

曹雪芹的故事　周汝昌 著 周伦玲 整理
古典小说漫稿　吴小如 著
三生石上旧精魂
——中国古代小说与宗教　白化文 著
《金瓶梅》十二讲　宁宗一 著
中国古典小说名作十五讲　宁宗一 著
古体小说论要　程毅中 著
近体小说论要　程毅中 著
《聊斋志异》面面观　马振方 著
《儒林外史》简说　何满子 著

我的杂学　周作人 著 张丽华 编
写作常谈　叶圣陶 著
中国骈文概论　瞿兑之 著
谈修养　朱光潜 著
给青年的十二封信　朱光潜 著
论雅俗共赏　朱自清 著
文学概论讲义　老 舍 著
中国文学史导论　罗 庸 著 杜志勇 辑校
给少男少女　李霁野 著
古典文学略述　王季思 著 王兆凯 编
古典戏曲略说　王季思 著 王兆凯 编
鲁迅批判　李长之 著
唐代进士行卷与文学　程千帆 著
说八股　启 功 张中行 金克木 著
译余偶拾　杨宪益 著
文学漫识　杨宪益 著
三国谈心录　金性尧 著
夜阑话韩柳　金性尧 著
漫谈西方文学　李赋宁 著
历代笔记概述　刘叶秋 著

周作人概观	舒　芜　著
古代文学入门	王运熙　著　董伯韬　编
有琴一张	资中筠　著
中国文化与世界文化	乐黛云　著
新文学小讲	严家炎　著
回归，还是出发	高尔泰　著
文学的阅读	洪子诚　著
中国文学1949—1989	洪子诚　著
鲁迅作品细读	钱理群　著
中国戏曲	么书仪　著
元曲十题	么书仪　著
唐宋八大家——古代散文的典范	葛晓音　选译
辛亥革命亲历记	吴玉章　著
中国历史讲话	熊十力　著
中国史学入门	顾颉刚　著　何启君　整理
秦汉的方士与儒生	顾颉刚　著
三国史话	吕思勉　著
史学要论	李大钊　著
中国近代史	蒋廷黻　著
民族与古代中国史	傅斯年　著
五谷史话	万国鼎　著　徐定懿　编
民族文话	郑振铎　著
史料与史学	翦伯赞　著
秦汉史九讲	翦伯赞　著
唐代社会概略	黄现璠　著
清史简述	郑天挺　著
两汉社会生活概述	谢国桢　著
中国文化与中国的兵	雷海宗　著
元史讲座	韩儒林　著

魏晋南北朝史稿	贺昌群　著
汉唐精神	贺昌群　著
海上丝路与文化交流	常任侠　著
中国史纲	张荫麟　著
两宋史纲	张荫麟　著
北宋政治改革家王安石	邓广铭　著
从紫禁城到故宫——营建、艺术、史事	单士元　著
春秋史	童书业　著
明史简述	吴　晗　著
朱元璋传	吴　晗　著
明朝开国史	吴　晗　著
旧史新谈	吴　晗　著　习　之　编
史学遗产六讲	白寿彝　著
先秦思想讲话	杨向奎　著
司马迁之人格与风格	李长之　著
历史人物	郭沫若　著
屈原研究（增订本）	郭沫若　著
考古寻根记	苏秉琦　著
舆地勾稽六十年	谭其骧　著
魏晋南北朝隋唐史	唐长孺　著
秦汉史略	何兹全　著
魏晋南北朝史略	何兹全　著
司马迁	季镇淮　著
唐王朝的崛起与兴盛	汪　篯　著
南北朝史话	程应镠　著
二千年间	胡　绳　著
论三国人物	方诗铭　著
辽代史话	陈　述　著
考古发现与中西文化交流	宿　白　著
清史三百年	戴　逸　著

清史寻踪	戴　逸　著
走出中国近代史	章开沅　著
中国古代政治文明讲略	张传玺　著
艺术、神话与祭祀	张光直　著
	刘　静　乌鲁木加甫　译
中国古代衣食住行	许嘉璐　著
辽夏金元小史	邱树森　著
中国古代史学十讲	瞿林东　著
历代官制概述	瞿宣颖　著

宾虹论画	黄宾虹　著
中国绘画史	陈师曾　著
和青年朋友谈书法	沈尹默　著
中国画法研究	吕凤子　著
桥梁史话	茅以升　著
中国戏剧史讲座	周贻白　著
中国戏剧简史	董每戡　著
西洋戏剧简史	董每戡　著
俞平伯说昆曲	俞平伯　著　陈　均　编
新建筑与流派	童　寯　著
论园	童　寯　著
拙匠随笔	梁思成　著　林　洙　编
中国建筑艺术	梁思成　著　林　洙　编
沈从文讲文物	沈从文　著　王　风　编
中国画的艺术	徐悲鸿　著　马小起　编
中国绘画史纲	傅抱石　著
龙坡谈艺	台静农　著
中国舞蹈史话	常任侠　著
中国美术史谈	常任侠　著
说书与戏曲	金受申　著
世界美术名作二十讲	傅　雷　著

中国画论体系及其批评	李长之　著
金石书画漫谈	启　功　著　赵仁珪　编
吞山怀谷 ——中国山水园林艺术	汪菊渊　著
故宫探微	朱家溍　著
中国古代音乐与舞蹈	阴法鲁　著　刘玉才　编
梓翁说园	陈从周　著
旧戏新谈	黄　裳　著
民间年画十讲	王树村　著　姜彦文　编
民间美术与民俗	王树村　著　姜彦文　编
长城史话	罗哲文　著
天工人巧 ——中国古园林六讲	罗哲文　著
现代建筑奠基人	罗小未　著
世界桥梁趣谈	唐寰澄　著
如何欣赏一座桥	唐寰澄　著
桥梁的故事	唐寰澄　著
园林的意境	周维权　著
万方安和 ——皇家园林的故事	周维权　著
乡土漫谈	陈志华　著
现代建筑的故事	吴焕加　著
中国古代建筑概说	傅熹年　著
简易哲学纲要	蔡元培　著
大学教育	蔡元培　著 北大元培学院　编
老子、孔子、墨子及其学派	梁启超　著
春秋战国思想史话	嵇文甫　著
晚明思想史论	嵇文甫　著
新人生论	冯友兰　著

中国哲学与未来世界哲学	冯友兰　著
谈美	朱光潜　著
谈美书简	朱光潜　著
中国古代心理学思想	潘　菽　著
新人生观	罗家伦　著
佛教基本知识	周叔迦　著
儒学述要	罗　庸　著　杜志勇　辑校
老子其人其书及其学派	詹剑峰　著
周易简要	李镜池　著　李铭建　编
希腊漫话	罗念生　著
佛教常识答问	赵朴初　著
维也纳学派哲学	洪　谦　著
大一统与儒家思想	杨向奎　著
孔子的故事	李长之　著
西洋哲学史	李长之　著
哲学讲话	艾思奇　著
中国文化六讲	何兹全　著
墨子与墨家	任继愈　著
中华慧命续千年	萧萐父　著
儒学十讲	汤一介　著
汉化佛教与佛寺	白化文　著
传统文化六讲	金开诚　著　金舒年　徐令缘　编
美是自由的象征	高尔泰　著
艺术的觉醒	高尔泰　著
中华文化片论	冯天瑜　著
儒者的智慧	郭齐勇　著
中国政治思想史	吕思勉　著
市政制度	张慰慈　著
政治学大纲	张慰慈　著
民俗与迷信	江绍原　著　陈泳超　整理

政治的学问	钱端升　著　钱元强　编
从古典经济学派到马克思	陈岱孙　著
乡土中国	费孝通　著
社会调查自白	费孝通　著
怎样做好律师	张思之　著　孙国栋　编
中西之交	陈乐民　著
律师与法治	江　平　著　孙国栋　编
中华法文化史镜鉴	张晋藩　著
新闻艺术（增订本）	徐铸成　著
经济学常识	吴敬琏　著　马国川　编
中国化学史稿	张子高　编著
中国机械工程发明史	刘仙洲　著
天道与人文	竺可桢　著　施爱东　编
中国医学史略	范行准　著
优选法与统筹法平话	华罗庚　著
数学知识竞赛五讲	华罗庚　著
中国历史上的科学发明（插图本）	钱伟长　著

出版说明

“大家小书”多是一代大家的经典著作，在还属于手抄的著述年代里，每个字都是经过作者精琢细磨之后所拣选的。为尊重作者写作习惯和遣词风格、尊重语言文字自身发展流变的规律，为读者提供一个可靠的版本，“大家小书”对于已经经典化的作品不进行现代汉语的规范化处理。

提请读者特别注意。

北京出版社